# LA VOCACIÓN LITERARIA DEL PENSAMIENTO HISTÓRICO EN AMÉRICA

# BIBLIOTECA ROMÁNICA HISPÁNICA

DIRIGIDA POR DÁMASO ALONSO

II. ESTUDIOS Y ENSAYOS, 318

ENRIQUE PUPO-WALKER

# LA VOCACIÓN LITERARIA DEL PENSAMIENTO HISTÓRICO EN AMÉRICA

DESARROLLO DE LA PROSA DE FICCIÓN:
SIGLOS XVI, XVII, XVIII Y XIX

BIBLIOTECA ROMÁNICA HISPÁNICA

**EDITORIAL GREDOS**

MADRID

**EDITORIAL GREDOS, S. A.**

Sánchez Pacheco, 81, Madrid. España.

Depósito Legal: M. 368-1982.

ISBN 84-249-0175-4. Rústica.
ISBN 84-249-0176-2. Tela.

Impreso en España. Printed in Spain.
**Gráficas Cóndor, S. A.,** Sánchez Pacheco, 81, Madrid, 1982.—5362.

*Para Betty, Landy, Gini y Libetz.*

## ADVERTENCIA AL LECTOR

En este libro considero algunos temas y conceptos que no figuran en el quehacer habitual de los que investigan las letras hispanoamericanas. Por esa razón, quisiera informar al lector, en los términos más simples, sobre la naturaleza y propósitos de mi trabajo. Partiendo de reflexiones que abarcan cuatro siglos de actividad cultural, he examinado los orígenes de la creación literaria en el seno de la historiografía de Indias; y, apoyándome en ese conocimiento inicial, he recurrido a textos valiosos para señalar, desde ellos, la consolidación progresiva de una escritura americana, cuya perdurabilidad confirmaremos más de una vez, en épocas y obras muy variadas. Escritura —en el contexto de esta investigación— no implica grafía o mero significante; a ese vocablo se asigna aquí la expresión diversificada del registro cultural, y equivale, por lo tanto, a una conceptualización histórica y metafísica del ámbito descrito. En las últimas páginas —y en apuntes brevísimos— he querido señalar algunos esquemas narrativos insertos en las relaciones históricas; esquemas que prefiguran, con toda claridad, el relato costumbrista y en menor grado el cuento literario. El libro culmina allí con un análisis comparativo de esas dos categorías de la narración breve, que tan amplia significación tuvieron en las letras hispanoamericanas a partir del siglo xix.

Pero lo correcto sería indicar que mi labor no se restringe a la apreciación formal de las obras elegidas; incido, además, en el tejido discursivo de las crónicas y otros textos, para explicar, en lo posible, el testimonio cultural e histórico que encierran nuestras primeras creaciones imaginativas. No se me ocultan, claro está, las proporciones colosales del contexto que investigo. De hecho, ante la opulencia de la historiografía en los siglos xvi y xvii, me he ceñido a materiales muy específicos. Añadiría, sin embargo, que las limitaciones impuestas a mi proyecto se ven compensadas, en más de una ocasión, por la indiscutible relevancia de los libros y tipologías narrativas que he comentado.

Reconozco, por otra parte, que al emprender una doble operación crítica será preciso aunar, en alguna medida, los recursos desarrollados por el análisis histórico y el literario; procedimiento que por necesidad me induce a valoraciones sustentadas por un criterio ecléctico. Admitiré también que esa integración metodológica, a que he aludido, suscita algunas disyuntivas conceptuales que no podríamos ignorar en un trabajo de esta índole. Es evidente, por ejemplo, que el juicio literario —orientado hoy por la investigación formalista y semiológica— tiende a considerar el texto como un sistema autónomo que fundamenta su identidad en las relaciones mutuas de sus componentes; visto de esa manera, el discurso suele apreciarse como una entidad cifrada en las particularidades muy concretas del enunciado.

Se advertirá, no obstante, que ese criterio estimativo soslaya, por lo general, las consideraciones metatextuales inherentes a la investigación histórica; designaría, entre ellas, la inspección minuciosa de las fuentes o el cotejo de informaciones complementarias que aportan las ciencias sociales.

Pero me urge aclarar que este libro se aparta de esas precisiones metodológicas que celosamente ha practicado la
historiografía moderna. Por ser otros mis objetivos y por
la singularidad misma de los textos, he procurado la reflexión que evalúa la naturaleza del conocimiento histórico
y que lo sitúa principalmente en el ámbito de la experiencia
imaginativa.

Al proceder de ese modo, postulo una lectura abierta
que reconoce, según el caso, los estratos disímiles que la
narración histórica convoca; lectura en que también se ex-
ploran los nexos que podrían relacionar el saber histórico
con la práctica literaria. Sin abundar en los registros biblio-
gráficos a mano, sugiero que la eficacia y posibilidades que
entrañan esas aproximaciones fueron ilustradas —aunque
desde otro ángulo— en el admirable estudio que Marcel
Bataillon dedicó al *Convivium fabulosum* de Erasmo. Creo,
además, que los resultados conseguidos en ese trabajo se
objetivan espléndidamente al contraponer los relatos del
*Convivium* con otros que, sobre los mismos temas, elaboraron Johann Gast, el padre Casalicchio y Juan Luis Vives.
Con alguna sorpresa verificaremos entonces que la interro-
gación sistemática de los textos, y sus variantes, pone al
descubierto la presencia indirecta de un testimonio histórico
que por mucho tiempo guardaron el arte literario y los esquemas ceremoniales del folklore.

En esas narraciones y en otras dispersas en las crónicas
de Indias accederemos reiteradamente al diseño casi fugaz
de una materia condensada que, en más de una ocasión, nos
parecerá enigmática, pero que, a su vez, puede revelarnos
un conocimiento remoto con punzante certeza. Así son, por
cierto, algunos de los fragmentos que he comentado en
este libro y que nos servirán para ilustrar, en grados diversos, el proceso cultural que se iniciaba en América.

Entiéndase que, si doy ese rumbo a mi trabajo, es porque he confirmado —como bien dijera Octavio Paz— que, en los avatares de la historia, «la imaginación es la facultad que descubre las relaciones entre las cosas». Es indudable que la crónica de Indias responde, primordialmente, a una vocación histórica y a propósitos muy concretos; pero no podríamos negar, al mismo tiempo, que amplios sectores de ese discurso fueron motivados por una pertinaz voluntad de creación. En esos textos —y esto se olvida con facilidad— convergen recursos y tradiciones escriturales muy diversas. Más aún, en la evolución de la narrativa histórica, las grandes crónicas de Indias representan, en muchos órdenes, una nueva plenitud textual: en ellas, y sobre la marcha, se instauró en la cultura occidental una visión de la praxis histórica que rebasa con mucho a sus formas precursoras. Sin aludir a otros, esos atributos sugieren, abiertamente, la necesidad de lecturas que superen el marco siempre estrecho de la verificación empírica. Añadiré, inclusive, que aceptar la crónica americana como el equivalente neutro de una materialidad histórica presupone, en sí, una devaluación de los textos y del ejercicio interpretativo como tal.

El lector familiarizado con las relaciones de Indias observará que me sitúo ante una dimensión de la escritura que, con frecuencia, ha sobrevolado el análisis histórico y la crítica literaria. No es que me empeñe en ver la historia desde sus áreas marginales. Lo que pretendo, más bien, es calibrar los sectores esquivos de la narración que permanecen al acecho de lo que el dato y la cifra nunca alcanzan. Elijo, si se quiere, el enunciado que respondía imaginativamente a las nuevas formas y estilos de vida que instituyeron la conquista y colonización de América.

Anticipo, para concluir, que en esos pasajes tan variados disfrutaremos textos elaborados con preciosa astucia narra-

tiva; y en ellos localizaremos también importantes codificaciones del discurso que a lo largo de siglos fueron retoma-
das por la prosa de creación. Así se justifica la persistencia
tenaz de motivos y fórmulas expositivas que hoy podríamos
distinguir en el legado equívoco del costumbrismo americano, en innumerables relatos de Ricardo Palma, así como
en los textos magistrales de Alejo Carpentier y otros narradores contemporáneos. Pero insistiré en estas últimas palabras —y con una idea muy clara de lo que hago— que este
libro es apenas un acto inaugural: queda sugerido aquí otro
régimen de lecturas en la investigación de nuestras letras
coloniales. Indico, pues, una ruta de siglos que siempre
recompensará generosamente a los que deseen recorrerla.

RECONOCIMIENTOS

Quiero expresar mi gratitud al *Research Council* de *Van-
derbilt University,* así como a la *American Council of Learned
Societies* y al *Council for Research in the Social Sciences,*
por el apoyo que me brindaron al iniciar la preparación de
este libro. Deseo reconocer, además, las aportaciones valio-
sísimas de mis amigos y colegas José Luis Abellán, José
Juan Arrom, Carlos Bousoño, Juan Cano Ballesta, Claudio
Guillén y Juan Luis Hernández. De valor inestimable fueron
también los materiales que amistosamente me proporciona-
ron los prestigiosos historiadores españoles Manuel Espadas, Mario Hernández Sánchez-Barba y Juan Pérez de Tudela. Señalo, por último, la colaboración, siempre generosa,
de Carlos Domínguez, Beverly Fecht y Alonso Cueto, que
leyeron el manuscrito e intervinieron más de una vez en la
confección del mismo.

Madrid, junio de 1978.

# CAPÍTULO I

## SOBRE EL SESGO CREATIVO DE LA HISTORIOGRAFÍA AMERICANA: ESBOZOS PRELIMINARES

### ACERCA DE LA INTERPRETACIÓN HISTÓRICA

Es fácil comprobar que, desde el siglo pasado, la finalidad explícita de la historiografía ha sido ofrecer una visión integral del contexto narrado. A partir de las sugestivas reflexiones de Giambattista Vico y, en sucesión, Hegel y Marx, se ha insistido en que los diferentes aspectos de la vida de una sociedad permanecen orgánicamente estructurados [1].

---

[1] La orientación metodológica de la historiografía moderna está lúcidamente resumida en las obras de W. H. Walsh, *Introducción a la filosofía de la historia* (México, Siglo Veintiuno, 1974), y de Benedetto Croce, *La historia como hazaña de la libertad* (México, Fondo de Cultura, 1971). Pero, en términos más concretos, esa perspectiva integral e interdisciplinaria de la historia se manifiesta con insistencia en la opinión de historiógrafos contemporáneos. Claude Williard ha dicho recientemente: «La historia global exige el concurso de especialistas de diversas disciplinas o al menos la adopción de sus métodos; dicho de otro modo, para emplear un término de moda, pero que recubre una exigencia: la interdisciplinariedad». Por otra parte, obras recientes de Regine Robin destacan, por ejemplo, la importancia que tiene la investigación lingüística y literaria para la pesquisa histórica. Se trata, en realidad, de un enfoque totalizante

Aún la investigación positivista —orientada por las ideas de Augusto Comte— quiso, en sus etapas iniciales, descubrir las leyes que determinan la evolución histórica y que nos facilitarían una perspectiva coherente del pasado [2]; perspectiva que siempre debió estar garantizada por el examen meticuloso de las fuentes y de otros materiales considerados. Pero de ordinario —y sobre todo en la historiografía académica hispanoamericana— esa labor cognoscitiva se ha particularizado excesivamente y suele llegarnos, casi siempre, fatigada por la erudición detallista y el material estadístico [3]. Se advertirá, en esos casos, un tipo de investigación que somete sus objetivos a los rigores extremos de la tarea empírica y que se refugia, a medias, en la normatividad analítica desarrollada por las ciencias sociales.

Al proceder así, casi inevitablemente, el historiador aprovecha los textos con un propósito utilitario que limita la verdadera percepción analítica de los hechos. El lector interesado por un espectro cultural más amplio observará que el fervor empírico motiva la purga inmediata de casi todos los estratos imaginativos que posee la escritura. Se verá, por ejemplo, que el mito, la leyenda y los amplios fragmentos

que, a pesar de sus altas y bajas, ya contenía el pensamiento de Guizot y Michelet entre otros. Para un comentario de los criterios historiográficos vigentes en este siglo, véanse las importantes obras de Manuel Tuñón de Lara, *Estudios sobre el siglo XIX español* (Madrid, Siglo XXI Editores, 1976) y *Metodología de la Historia Social de España* (Madrid, Siglo XXI Editores, 1977).

2 Las posibilidades interpretativas que formula el análisis histórico a que me he referido se enuncian parcialmente en la obra de G. Lefebvre *El nacimiento de la historiografía moderna* (Barcelona, Martínez Roca, 1974).

3 Me refiero aquí al sin fin de monografías que tediosamente enumeran repartos y encomiendas o que insisten en la descripción repetitiva de oficios y labores. No desconozco los méritos de esos trabajos, pero lo lamentable es que casi nunca superan el atavismo empírico.

paródicos, que abundan en la historiografía de Indias, por lo general se ignoran o se tratan como duplicaciones gratuitas del discurso historiográfico. Lo que obviamente sucede en esas pesquisas es que el material legendario, al ser juzgado como inserción ociosa, pierde, *ipso facto*, el posible significado histórico y formal que sin duda posee.

En este trabajo, deliberadamente elijo la ruta que evitan los estudios históricos. Según he anticipado, mi propósito es valorar —en textos muy diferentes— esos espacios imaginarios que la historiografía americana suele pasar por alto. Me detengo, pues, ante el discurso larvado por la intuición creativa a sabiendas de que los textos que obedecen al impulso imaginativo son materia volátil y a veces irreductible. Pero, si insisto en ello, es porque en esos fragmentos perviven, con toda claridad, estadios elementales de interpretación cultural y de la actividad literaria; además, en ellos están inscritas formas primigenias del pensamiento americano que el inventario a secas nunca elucidará.

Confirmaremos repetidamente que la lectura aferrada al mero apunte informativo no reconoce, casi nunca, la diversidad de funciones que esos segmentos de creación pueden asumir en el esquema total de la obra [4]. Pienso, además, que la omisión que hace la investigación histórica de los fragmentos legendarios o míticos conduce a una lectura parcial del texto, que es, después de todo, la entidad primordial en nuestras investigaciones documentales. Difícil será comprender la naturaleza siempre diversa de los hechos si no al-

---

[4] La importancia que tiene la narración intercalada en la relación histórica se trata detalladamente en mi libro *La historicidad de lo imaginario y los Comentarios reales del Inca Garcilaso de la Vega*, que en breve se publicará. Otras observaciones determinadas principalmente por el comentario textual se tratan en los tres primeros capítulos de este libro.

canzamos, en primer término, una apreciación global de la
escritura; sobre todo en las relaciones de Indias, al quedar
excluida la materia legendaria, el texto puede sufrir una
merma considerable y, a la vez, innecesaria. De lo que he
señalado se desprende que el régimen de nuestra lectura
ha de ser otro; en vez de omitir las porciones creativas a
que he aludido, propongo que debemos integrarlas en nuestras valoraciones, ya que, al ser aprehendidas en su totalidad, ampliamos forzosamente las posibilidades del análisis
histórico.

Sospecho que los motivos que ocasionan el rechazo frecuente de la inserción creativa en la historia no necesitan
hoy mayores explicaciones.

Lamentablemente, desde fines del siglo pasado gran parte
de nuestra historiografía ha permanecido sujeta a los modelos primarios que nos legó el positivismo documental[5].
En su base, esa forma del conocimiento histórico se inspira,
como es sabido, en reflexiones filosóficas que adoptan —mediante ajustes precarios— los progresos realizados por las
ciencias exactas desde fines del siglo XVI. Aludo aquí al pensamiento que emerge de las formulaciones de Descartes y
Bacon entre otros, y que proclama la efectividad del método
científico en la investigación histórica y de toda índole.

---

[5] Según he sugerido, el valor de las aportaciones documentales
no me parece discutible, mientras se consideren, claro está, como
materia instrumental y no como sustitución de la labor interpretativa.
Aunque sus observaciones se dirigen principalmente al texto literario,
creo que el análisis de E. D. Hirsch, cuidadosamente expuesto en su
libro *The Validity of Interpretation* (New Haven, Yale University
Press, 1967), págs. 133-138, esclarece el concepto de 'conocimiento histórico' a que he de referirme. O sea, la lectura que construye un
significado coherente y autónomo y que deriva en gran parte de las
propiedades del texto, pero sin desconocer por ello las relaciones que
éste mantiene con su entorno cultural.

Pero observaremos que esa orientación, llevada a sus extremos, determina un empobrecimiento gradual de nuestras apreciaciones. En la historiografía, concretamente, se supone, desde ese marco de referencias utilitarias y cientificistas, que la expresividad de un texto, o sea 'lo literario', carece del valor informativo que resueltamente se confiere al enunciado testimonial o al dato en sí. Vistas las cosas de ese modo, queda establecido que el contenido imaginario de la escritura no puede incorporarse a las pesquisas que lleva a cabo la investigación propuesta[6]. Es admisible, claro está, que en algunos casos la pobreza del texto sólo permita consideraciones muy pragmáticas. Pero insistiré desde ahora en que, incluso al practicar una lectura ocasional de las crónicas de Indias, se nos revela la notable riqueza de esas obras y la variedad de estratos que por lo general admite el discurso informativo.

En principio puede afirmarse que, en casi todas las relaciones del Descubrimiento y la Conquista, el discurso desborda las posibilidades inmediatas del mensaje literal. En la *Historia del Perú* (1571) de Diego Fernández, el Palentino; en la *Historia natural y moral de Indias* (1590) del padre Josep de Acosta, y más aún en los *Comentarios Reales* (1609-1617) del Inca Garcilaso —y cito apenas unos cuantos— la

---

[6] La incertidumbre que suele padecer el análisis histórico al afrontar 'lo literario' se expone de manera muy sugestiva en el estudio de Fernando Lázaro Carreter *¿Qué es literatura?* (Santander, Universidad Internacional Menéndez Pelayo, 1976). Una vertiente más introspectiva y filosófica de lo mismo se aborda en el trabajo de Maurice Blanchot «¿Cómo es posible la literatura?», en *Pasos falsos* (Madrid, Ediciones Pre-textos, 1977), págs. 87-96. Debe señalarse, de paso, la proliferación de estudios que, en las dos últimas décadas, se esmeran por ofrecer una diferenciación formal del discurso histórico. Ver, por ejemplo, Edward W. Said, «Notes on the Characterization of Literary Text», en *Velocities of Change*, Edit. T. Macksey (Baltimore, The John Hopkins University Press, 1974), págs. 32-57.

elaboración refinada de la materia narrativa sorprende y a veces nos deslumbra [7]. Pero, sin llegar a matizaciones de extraordinaria delicadeza, hay, además, otros juicios que por sí solos podrían servirnos para refutar el escueto examen documental que habitualmente ha practicado la historiografía descriptiva al valorar la crónica de Indias.

Es obvio —aunque no para todos— que restringirse al sentido literal del discurso es adoptar una postura engorrosa y cuestionable. Aceptar el signo lingüístico como equivalente exacto de una circunstancia histórica, siempre compleja, es suscribirse a un nominalismo endeble que nos restringe a la superficie semántica de la palabra [8]. Muchos olvidan —aunque se trata de un hecho elemental— que toda narración (histórica o ficticia) siempre nos lleva a *imaginar* la circunstancia relatada; circunstancia que obedece a un proceso selectivo impuesto por la narración y que no puede ser ajeno a las elaboraciones creativas del lenguaje.

Adviértase también que la postura literalista —por llamarla de algún modo— excluye, por su carácter, una fundamentación filosófica que sistematice e integre la diversidad

---

[7] En las secuencias de textos que cito, sólo he fechado aquellas obras que pueden servirnos como puntos de referencia al considerar la evolución del pensamiento histórico.

[8] Las falacias a que puede conducir, en el análisis de los textos, una lectura superficial se describen en el importante estudio de Michael McCanles «Literal and Metaphorical: Dialectic or Interchange», *Publications of the Modern Language Association of America*, XCI, 2 (1976), págs. 279-290. La tiranía impuesta por las conceptualizaciones empíricas —sobre todo a partir del siglo XIX— desvirtúa la importancia del discurso como expresión cultural, al convertirlo en una presencia ilusoria, que existe exclusivamente como función referencial. Es claro que desde esa postura se desconoce que el discurso histórico es ante todo la simulación, codificada por normas retóricas, de una realidad objetiva. Y en ello la narración histórica —según he señalado— no difiere sustancialmente de los procedimientos que empleó el realismo literario decimonónico y aun posterior.

de conocimientos adquiridos[9]. Queda implícito al mismo tiempo, que la mera exégesis literal obliga a una lectura desordenada, ya que con frecuencia nos vemos forzados a saltar por encima de las funciones paradigmáticas del lenguaje. Esa lectura representa, a mi modo de ver, el desconocimiento de los planos alegóricos y metafóricos, que son, por necesidad, inherentes a la relativización expresiva que procuró el discurso histórico, desde la antigüedad clásica hasta el siglo XVIII.

Pero, ante el desarrollo espectacular de la historiografía moderna, quizá no sea razonable exigir al investigador rigurosamente especializado la apreciación formal de los textos. Por otra parte, un juicio sosegado de estas cuestiones indica que los aspectos creativos del lenguaje tienen su razón ontológica fuera del análisis estadístico o de las fuentes que procura la historiografía actual. Bien sabemos que ese nivel, siempre esquivo, de la narración no se ofrece como entidad computable que pudiéramos transferir, digamos, al análisis de los sistemas tributarios o de producción en un contexto dado. La invención verbal, en sí, no se ajusta, por su naturaleza, a la causalidad de factores que impone el mero análisis cuantitativo. Corresponde, creo yo, a la investigación filológica —en su mejor sentido— precisar las categorías del discurso y los niveles de significado que éste comporta[10], tanto para el juicio literario como para la pes-

---

[9] Pero, si ocurre así, es porque en el contexto hispánico, en contraste, digamos, con el germánico y francés, se ha soslayado la necesidad de proveer al conocimiento histórico de una fundamentación filosófica laica. Algunas de esas deficiencias se vislumbran, por ejemplo, en la azarosa polémica que mantuvieron Américo Castro y Sánchez Albornoz.

[10] Sin llegar a una caracterización filológica del texto, el análisis que he sugerido puede observarse, por ejemplo, en el estudio del historiador inglés J. E. Elliot «The Mental World of Hernán Cortés»,

quisa historiográfica. Con toda seguridad, de esa labor derivaría un conocimiento sutil que, en su momento, la historia necesitará al emprender la fase verdaderamente interpretativa del proceso cultural que sirve de marco a los hechos.

### PROBLEMÁTICA DE LA LECTURA CONSECUTIVA

Al proponer, en términos generales, una apreciación más ajustada de nuestras crónicas de Indias, no se me ocultan las dificultades que ese empeño supone para el historiador como tal. Para señalar un ligero impedimento, entre otros, el relato intercalado puede insinuarse como un sector desconcertante al emprender una valoración global de la obra. Ante todo, la fabulación, en sus formas más complejas, yuxtapone a las cronologías habituales un tiempo a veces ilimitado y contradictorio, que emana del mito o la leyenda y que de hecho entorpece los esquemas progresivos que desvelan al historiador. Al reconocer esos obstáculos, no quiero inferir, de ningún modo, que las disyuntivas mencionadas sean insalvables por definición [11].

---

*Transactions of the Royal Historical Society*, XVII (1967), págs. 41-58. Repárese que la lectura practicada por Elliot conduce a una interpretación imaginativa, que es, no obstante, fiel al contenido del texto. Aunque de otra índole y sobre una obra muy diferente, lo mismo podría decirse del ensayo de José Durand «El Inca Garcilaso, historiador apasionado», *Cuadernos Americanos*, LII (1950), págs. 153-168. Cuando digo 'fiel al texto', pienso, por ejemplo, en las agudas salvedades que hace Jorge Luis Borges al comentar el sentido de la alegoría según lo entendieron Croce y Chesterton. Me refiero aquí al ensayo «De las alegorías a las novelas», *Otras inquisiciones* (Buenos Aires, Emecé Editores, 1971), págs. 211-216.

[11] Indicaría, por ejemplo, que la dimensión temporal de lo ficticio, aun cuando no corresponda a una secuencia histórica lineal, puede representar, sin embargo, la expresión de un orden asumido colectivamente. De hecho, pienso que la inserción imaginativa en el discurso

Para ofrecer algunas ejemplificaciones útiles diría que varios trabajos de Marcel Bataillon y Edmundo O'Gorman, por nombrar dos especialistas muy conocidos, postulan criterios de interpretación que se afirman, a menudo, en precisiones filológicas o en el examen pormenorizado de un contexto legendario que informa y que a veces condiciona nuestra perspectiva de lo ocurrido[12]. Los trabajos que he mencionado nos demuestran a simple vista que, sin lastimar la integridad de los textos, es posible abordar la narración histórica desde una perspectiva más amplia, que a su vez hace comprensible el enunciado en casi todas sus latitudes.

Para elucidar aún más algunos conceptos implícitos en estas notas preliminares, propongo que toda exploración imaginativa de los textos supone —en grados diversos— que el discurso histórico lo genera un proceso de interacción entre el relator y su marco cultural. Esa noción presupone, por consiguiente, que la estructura narrativa será en buena medida una esquematización de la mentalidad del narrador y de los valores culturales que informan su pensamiento. No

---

adquiere, por su naturaleza totalizante, un rango testimonial que la integra —aunque de otra manera— en los procesos históricos.

[12] Pudieran señalarse, entre varios, el estudio de Edmundo O'Gorman que sirve como introducción a su edición de la *Historia natural y moral de las Indias* del padre Joseph de Acosta (México, Fondo de Cultura, 1962), págs. XL-LIII. En adelante citaré por esta edición. Incluso en un trabajo que persigue objetivos muy concretos, y hasta de cierta aridez, Marcel Bataillon ha podido ofrecernos una apreciación sutil que permite un nuevo conocimiento histórico a partir (aunque no exclusivamente) del análisis textual. Véase: «Gutiérrez de Santa Clara, escritor mexicano», *N. R. F. H.*, V (1961), págs. 405-440. Una extensión muy valiosa de ese criterio analítico aparece en *Estudios sobre Bartolomé de las Casas* (Madrid, Ediciones Península, 1976), páginas 165-175. No me refiero aquí a la apreciación diacrónica del estudio de las ideas, sino más bien al análisis sincrónico de un contexto cultural preciso: el análisis que se fundamenta en apreciaciones rigurosas de los textos elegidos.

sugiero —entiéndase bien— que en todos los casos el texto valorado pueda contemplarse como la expresión formalizada o simbólica del acontecer histórico. Admito que, para que así fuese, la obra analizada tendría que incorporar la peculiar dinámica del contexto que describe y debería reflejar, por tanto, las mutaciones sociales que en un momento dado dictaban nuevos proyectos de vida. Pero, afortunadamente, ese conjunto de relaciones entre la configuración de la obra y el contexto que la enmarca puede verificarse, casi siempre, en las más importantes crónicas de Indias. De ahí el amplio sentido ideográfico que contienen las relaciones de los siglos XVI y XVII y que apenas hemos explorado [13]. Son, por cierto, esos atributos de la narración histórica los que a veces determinan la singularidad expresiva de la escritura: singularidad que nos depara, en muchas obras, testimonios culturales que hoy podemos identificar como denominadores comunes de nuestra expresión.

Según las variantes del acontecimiento descrito, la crónica, en sus relaciones contextuales, designa factores socioeconómicos y estereotipos antropológicos que radican en el plano denotativo del discurso. Pero repito que un genuino esfuerzo de interpretación no puede restringirse a compilaciones del material elegido. Sostengo, por tanto, la necesidad de afrontar también (sobre todo en el siglo XVI) las relaciones personalizadas que nos conducen a la recuperación creativa del pasado. Entre otras cosas, confirmaremos que en esos segmentos ficcionalizados el discurso responde a una selectividad muy precisa, pero que no está regida exclusi-

---

[13] Quiero decir simplemente que la significación última del texto en gran medida se fundamenta en lo que A. J. Greimas designa como «narratividad». Para una elaboración explícita de ese concepto consúltese: *En torno al sentido: ensayos semióticos* (Madrid, Editorial Fragua, 1973), págs. 113-123.

vamente por el prurito documental. Lo que ocurre en tales casos —y de ello me ocuparé más adelante— es que el escritor se sirve del acontecimiento o el dato para lograr una ascendente potenciación expresiva de lo narrado. Se altera así la organización del texto. La escritura ejecutada desde el impulso imaginativo crea, en consecuencia, un sistema independiente de relaciones que transponen los signos culturales para infiltrar en la obra connotaciones suplementarias. Al identificar ese importante viraje, logramos acceso al estrato narrativo que distingue a la creación literaria como tal; en esos casos presenciamos, sin más, el acto que logra una recodificación del marco referencial y que, a su vez, impone un nuevo significante a la relación histórica como tal.

Lo que he formulado indica, con toda sencillez, que el sentido testimonial que retiene el acto literario en la narración histórica no siempre puede desentrañarse mediante los procesos consecutivos de una lectura habitual. En parte es así porque la fabulación no sólo refleja, sino que refracta el material elegido. Pero, una vez reconocidas esas inversiones de valores referenciales, también puede argumentarse que, en el discurso de la historia, la invención verbal —en su sentido más lato— tiene un singular valor heurístico. Con ello quiero decir que la estructura narrativa que responde a la intención literaria pone en evidencia las transformaciones más sutiles, pero significativas, que sufre un contexto, así como las que padece el agente mismo que las registra. Dicho de otra manera, la palabra figurada asume una extensa variedad de referentes culturales que en el discurso de la historia rara vez contiene la mera incidencia ilustrativa.

Destaco, pues, en estos apuntes un plano de la narración que, al ser valorado correctamente, expande nuestra perspectiva histórica: es ése el nivel que siempre nos entrega la información más esquiva de que es capaz la escritura. Diría que, en gran proporción, ese tipo de análisis se ha logrado de manera ejemplar en el estudio que Víctor Frankl dedicó a *El Antijovio* (1567) de Gonzalo Jiménez de Quesada[14]. Al apartarnos de las inmensas apoyaturas eruditas, veremos allí que la pesquisa de Frankl fija casi todas las relaciones de los componentes que integran el discurso; componentes a veces retóricos, pero que él ve, con razón, como materiales informativos para la historia. Se deduce entonces que, al pensar nuestra labor de esa manera, es factible llegar a una comprensión más exacta de los vínculos que el texto en cuestión mantiene consigo mismo, con sus modelos historiográficos y con la compleja tradición literaria que lo enmarca[15]; todo lo cual hace posible un conocimiento mucho más profundo del texto y de su verdadera significación.

Al reconocer esas posibilidades interpretativas, sugiero que el relato intercalado —que sirve como útil punto de referencia a muchas de mis observaciones— no es siempre un apéndice accidental o superpuesto que el historiador desarrolla como ligero instrumento definitorio[16]. Observaremos

---

[14] *El Antijovio de Gonçalo Jiménez de Quesada y las concepciones de realidad y verdad en la época de la Contrarreforma y el manierismo* (Madrid, Instituto de Cultura Hispánica, 1963). La obra del profesor Frankl desmonta el texto en todas sus latitudes para revelar la significación histórica del conjunto y de todos sus elementos integrales; además, se explica con igual minuciosidad la relación que la escritura mantiene con el contexto cultural que le sirve de referente.

[15] El tipo de lectura a que me he referido lo ilustra explícitamente E. F. Curtius al considerar la significación del *Panegírico por la poesía* (1637). Considérese que el género estudiado por Curtius en esta ocasión es también un procedimiento retórico fundamental en la narración histórica hasta el siglo XVIII. *European Literature and the Latin Middle Ages* (New York, Pantheon Books, 1953), págs. 760-769.

[16] La existencia y utilización del relato como vehículo definitorio las señala detalladamente Maxime Chevalier en su valioso estudio

más de una vez que son muchas las relaciones en que esos
núcleos de ficción alcanzan un grado sorprendente de inma-
nencia constitutiva. Y son, bien está decirlo, los espacios más
refinados que logra el propósito informativo en la historia.
Como tales, representan una suerte de barómetro que puede
registrar, con excepcional fidelidad, los niveles creativos y
la actividad intelectual de la época en cuestión.

Es ésa la razón de que el análisis detenido de esa amplia
gama de relatos y segmentos paródicos, que exhiben tantas
crónicas de Indias, permita, como ya he indicado, una apreciación más ajustada del texto. Sin ser la única posibilidad,
a través del *corpus* legendario que asimila el discurso de la
historia podrían fijarse, entre otros, los motivos folklóricos,
hagiográficos o mitológicos que el discuso ha utilizado como
ejes de su propia configuración.

De cualquier modo, se sobreentiende que las consideraciones que he sugerido hasta aquí no son frecuentes en el
análisis histórico, a pesar de que la inserción misma de una
escritura en otra se verifica en los libros más antiguos que
ha concebido el hombre. Al reconsiderar los textos semina-
les de nuestra cultura, resulta claro que la articulación de
un circuito expresivo en otro es un recurso prestigioso —y
tal vez inevitable— que se consolidó a lo largo de siglos
en la historiografía clásica y en antiquísimos libros de ficción [17]. El delicioso relato que ofrece Heródoto sobre el

*Cuentecillos tradicionales en la España del Siglo de Oro* (Madrid, Editorial Gredos, 1975), págs. 10-40. Un juicio complementario, de interés,
se ofrece en el estudio de José Fradejas Lebrero «Tres notas literarias.
Los cuentos de Alonso López Pinciano», *Revista de Literatura*, XII
(1957), págs. 111 y sigs.

[17] El alcance de esos procedimientos narrativos lo trató. V. Sklovski
en *Sobre la prosa literaria* (Madrid, Editorial Planeta, 1971), págs. 13-
173. Es útil también, aunque sus descripciones son, en este caso, más
generales, la obra de Vladimir Propp: *Las raíces históricas del cuento*
(Madrid, Editorial Fundamentos, 1974), págs. 13-44, 506-623. Interesa,

traslado forzoso de Io a Egipto y los raptos y venganzas que ese hecho suscita nos serviría —entre muchos— para documentar un procedimiento ilustrativo que imitarán, devotamente, las relaciones históricas durante siglos[18]. Pero lo sorprendente es, quizá, que las disyuntivas inquietantes que se manifiestan en esos desdoblamientos internos del discurso se han examinado, casi exclusivamente, en la narrativa de ficción[19], pese a que la materia interpolada, a mi parecer, motiva una problemática estructural aún más vasta en el discurso de la historia[20].

por su análisis de los *exempla* y sus variantes, el libro de Walter Pabst *La novela corta en la teoría y en la creación literaria* (Madrid, Editorial Gredos, 1967), págs. 185-295. En su base, la interpretación como tal remite al discurso epidíctico que la retórica destinaba a la persuasión y que en principio gestó el lenguaje jurídico, las necrologías, etc. En el siglo II y en formulaciones secundarias de la retórica clásica —neo-alejandrina— se destacaron notablemente las figuras de la *ekphrasis* y la *hipotiposis*, que vienen a ser formas exquisitamente elaboradas de la digresión, destinadas, casi siempre, a la exaltación de hechos y personajes gloriosos: ejercicio que, como bien señala Curtius, se mantuvo a lo largo de la Edad Media y que se revitalizó en la historiografía humanista. Para un análisis sugestivo de esas figuras, véanse los estudios de Roland Barthes y Julia Kristeva que aparecen en *Lo verosímil* (Buenos Aires, Editorial Tiempo Contemporáneo, 1972), págs. 95-101 y 63-94.

[18] Ver: *Los nuevos libros de la historia.* Trad. P. Bartolomé Pou, S. I. (Madrid, Aguilar, 1969), Libro I, págs. 540 y sigs. Es esa concepción artística y claramente diferenciada de la digresión la que imitarán los historiadores italianos de los siglos XIV y XV. A esas y otras transposiciones me refiero en la tercera sección de estos apuntes preliminares.

[19] Véanse, como ejemplos recientes y de interés: Guido Mancini, «Consideraciones sobre *Ozmin y Daraja*», *Prohemio*, II, 3 (1971), páginas 417-437: E. C. Riley, «Episodio, novela y aventura en don Quijote», *Anales Cervantinos*, V (1955-56), págs. 208-230; Bruce W. Wardropper, «The Pertinence of *El curioso impertinente*»: *PMLA*, LXXII (1957), págs. 587-600; Juan Bautista Avalle-Arce, *Deslindes cervantinos* (Madrid, Editorial Edhigar, 1961), págs. 121-135.

[20] Debo apuntar, sin embargo, una excepción importante. Se trata del estudio de Justus Cobet *Herodotus' Exkurse und die Frage der*

SOBRE LA CONFIGURACIÓN PRIMITIVA DEL DISCUR-
SO HISTÓRICO Y SUS AMBIGÜEDADES INTERNAS

Al comentar en estos apuntes la vertiente imaginativa de la historiografía americana, quisiera consignar de paso la similitud de recursos expresivos que compartieron la prosa novelada y la historiográfica desde la antigüedad greco-latina hasta el siglo XVIII. En un análisis de esta naturaleza, importa reconocer que no fue siempre obvio el deslinde de procedimientos retóricos que, a simple vista, podemos observar, desde el siglo XIX, entre ambas formas del discurso. Poco se reflexionó, por ejemplo, en la Edad Media sobre la composición y naturaleza de la narración histórica. Y, cuando se intentó, los resultados fueron desdeñables casi siempre. Sin excluir las meditaciones ocasionales que Santo Tomás de Aquino, Alberto Magno y San Agustín ofrecen sobre la teología de la historia, la figura quizá más significativa, por el alcance de sus formulaciones teóricas, es la de Joaquín de Fiore (1131-1202). Su *Evangelio eterno* llega a proponer, como es sabido, una configuración temporal de la historia de amplio contenido imaginativo y que sobrepasa con mucho los esquemas que permanecieron vigentes en la historiografía medieval[21].

Esa latitud creativa que se permitía la relación histórica en el Medioevo justificaba, parcialmente, las correspondencias estructurales y de otro tipo que la crónica mantuvo

---

*Einheit seines Werkes* (Wiesbaden, Steiner, 1971). Es un brillante estudio de la unidad temática de los nueve libros; conceptos de la unidad que se explican, en parte, mediante el análisis de las variantes de la digresión.

[21] Ver: Jorge L. García Venturini, *La filosofía de la historia* (Madrid, Editorial Gredos, 1972), págs. 66-67.

con la prosa de ficción. Sin que sea necesario elucidar esos
vínculos en toda su amplitud, conviene observar que el
diseño narrativo del *Amadís de Gaula* (1508) —por citar un
texto primordial— no difiere notablemente de la técnica expositiva que predomina en la *Crónica General* de Alfonso
el Sabio. Aun en narraciones estructuralmente más distantes, como lo es el *Poema de Alfonso Onceno,* se verifican
procedimientos retóricos que comparte el *Amadís.* Podrían
destacarse, entre otras, las fórmulas de enlace *dexar* y *tor-
nar,* que con tanta frecuencia transfieren los hechos a un
ámbito imaginario y que aparecen tantas veces en los libros III y IV del *Amadís.* Se da en esas frases un concepto
del nexo que se aprovecha de igual manera, o con variantes
similares, en las crónicas medievales y que tiene, sobre todo
en los fragmentos creativos, su figura retórica más característica en el «tornaremos a fablar».

Pero incluso en la concepción misma de los textos se
destaca la proximidad que he señalado entre la crónica y
la prosa novelada. En su prólogo al *Amadís,* Rodríguez de
Montalvo inscribe, como era frecuente entonces, el prestigio de la historicidad en su obra, al incorporar referencias
explícitas a Salustio y Tito Livio, que sirven como telón de
fondo a las cronologías expuestas por el narrador; cronologías que en la novela van suplementadas por el marco de
una geografía fabulosa que, en forma similar, solían inte-
grar las relaciones históricas [22].

---

[22] La función que cumplen esos mecanismos de enlace como resortes que facilitan las transiciones deseadas entre lo concreto y lo
imaginario se expone en un estudio ejemplar de Frida Weber de
Kurlat, «Estructura novelesca del *Amadís de Gaula*», *Revista de Literaturas Modernas,* V (1967), págs. 20-54. Añado aquí como nota de
interés que, en la versión inglesa del *Amadís: The Third Book of
Amadis de Gaule* (1608), el traductor introduce el texto haciendo referencia a los elogios de la historia que hace Cicerón y señalando el

Es corroborable en muchos textos que la digresión y la materia interpolada, tanto en la historia como en la ficción, se comportan como un sugestivo instrumento de enlace. Lo que consigno ahora no es algo que pueda ignorar una lectura informada de las crónicas americanas. En múltiples ocasiones, el relato intercalado —sin que esta categoría sea la única— se desarrolla como un eficaz punto de relación entre el plano conceptual y la materia expositiva del discurso, o viceversa. La digresión creativa viene a ser entonces un delicado artificio de contrapunto, que más de una vez impulsa el flujo moroso de la narración, al despertar mecanismos analógicos muy variados en la mente del lector. El mismo proceso puede verificarse de manera muy similar en la narrativa de ficción, sólo que, en la relación histórica, los mecanismos expositivos que asumen ese efecto de contrapunto no responden exclusivamente a la lógica del discurso mimético propiamente dicho [23].

A propósito de estas observaciones, estimo que comprenderíamos con mayor exactitud la hechura de la narración histórica, y los estratos que la integran, en los siglos XVI y XVII, si se tomara en cuenta la interpretación que propone la lingüística estructural en torno a la materia intercalada. A partir, sobre todo, de los estudios de Vladimir Propp, Claude Bremond y Barthes, entre otros, el relato intercalado se ha visto como un desdoblamiento lógico, y a gran escala, de la estructura sintáctica [24]. En sus postulados fun-

---

texto explícitamente como relación de interés histórico. Ejemplar es, en este contexto, el estudio de William Nelson *Fact or Fiction*: *The Dilemma of the Renaissance Story Teller* (Cambridge, Harvard University Press, 1973), pág. 30.

[23] Intentaré una explicación más concreta de ese hecho en los capítulos segundo y tercero de este libro.

[24] Desde esa perspectiva, los trabajos más agudos son los de Claude Bremond «Lógica de los posibles narrativos», en *Análisis es-*

damentales, la lingüística estructural considera el cuento
interpolado como una ampliación de las relaciones sintácticas
primordiales, que tienen su base en las oraciones subordi-
nadas y coordinadas. Entendido así, el cuento o la anécdota
que genera el discurso de la historia, constituye una suerte
de macrofrase, que se produce en virtud de las posibilidades combinatorias que permite el registro sintáctico. Desde
esa perspectiva, es posible ver el relato intercalado como
una ampliación formal que motiva la lógica inherente al
discurso, y que tiene su razón de ser en el comportamiento
del lenguaje como tal.

Quizá sorprenda que considere aquí un tema de índole
tan concreta. Pero, si lo trato con alguna minuciosidad, es
porque la interpolación, en todas sus variantes, puede servirnos como un elemento eficaz en la caracterización formal
de las crónicas americanas. Agregaría, de paso, que en esas
porciones creativas del discurso se objetiva un esfuerzo de
intelección, que hemos de tener en cuenta al juzgar el registro informativo que sutilmente se acopla en las relaciones históricas del período colonial.

No es difícil comprobar también que las interpolaciones
cuidadosamente elaboradas son, en última instancia, un procedimiento expositivo que responde a nuestra concepción
helénica y semítica del pasado: recurso que, ante la presión
de nuevas circunstancias históricas, se cultivaría, cada vez
con mayor amplitud, en las relaciones de la Conquista y de
los virreinatos de América. Los hechos y espectáculos inusi-
tados permitieron, en aquellos momentos, la invocación as-

---

*tructural del relato* (Buenos Aires, Tiempo Contemporáneo, 1970), páginas 87-110, y, en ese mismo tomo, T. Todorov, «Las categorías del
relato», págs. 155-192, así como el ensayo de Roland Barthes «Introducción al análisis estructural de los relatos», págs. 5-44.

cendente de la vieja «fantasía persuasiva», según fue designada por la tradición clásica y la exégesis bíblica [25].

## SOBRE ALGUNAS INSTANCIAS DE LA APREHENSIÓN IMAGINARIA EN LA HISTORIOGRAFÍA DE INDIAS

Era lógico suponer que las imágenes alucinantes que aportó el mundo americano desbordarían en muchos planos los moldes envejecidos que habían diseñado los cronistas medievales. Súbitamente, fue necesario dar cuenta de una vasta entidad desconocida, que era a un mismo tiempo, para los improvisados cronistas, realidad palpable y fantasía. En muchos casos, las noticias transmitidas en aquellas relaciones exigirían al narrador recursos expresivos que sólo habían conocido en la prosa novelada. Al nutrirse de fuentes tan disímiles, la historiografía americana configuró en pocos años, ante el mundo renacentista, una nueva escritura, que informaba con rigor ejemplar, pero en la que se consagraba también una aprehensión creativa y espectacular de lo narrado. Casi de golpe, fueron rescatados de la penumbra medieval viejos mitos y leyendas que con los años recubrirían, de un extremo al otro, el mundo americano. De ese modo, pues, muchas noticias se transmutaban en creaciones imaginarias bajo el influjo de leyendas antiquísimas.

---

[25] Esa posibilidad se fundamentaba en el concepto espiritual de la verdad histórica, que tiene raíces paganas, pero sobre todo bíblicas. Aunque Santo Tomás insiste en que «todos los sentidos están fundados en el literal, único que puede servir de base a la argumentación» (*Suma Teológica*, I, arts. 1 al 12), la historiografía que se nutre del pensamiento platónico y la tradición bíblica casi siempre se considerará en el deber de «levantarse por encima del mero hecho exterior». Frankl, *El Antijovio*, págs. 276.

La invención no era necesaria, claro está, para recoger los datos requeridos por la Corona, pero sí lo fue cuando se quiso narrar el soplo emotivo que impulsaba los hechos. En un orden acaso más reducido, la historiografía americana es excepcionalmente creativa cuando se inclina para observar el acontecimiento individualizado que sobresale en el devenir histórico. En libros muy dispares, nos asombra la cadena interminable de analogías fabulosas que provocaba en la mente del cronista el escenario americano; de esas experiencias insólitas brota, a menudo, la parodia de sucesos prodigiosos que casi todos habían conocido en la tradición oral o en la lectura de relaciones heroicas. En virtud de ese proceso y a lo largo de siglos, se multiplicaron los referentes literarios de la crónica, entre los que figuran los libros hagiográficos; relación ésta que se ha confirmado, de varias maneras, en algunos estudios recientes [26].

Presiento que ese enlace mental, entre lo ficticio y las tierras descubiertas, aún sorprende al lector de nuestros días. Urge, por ello, detenerse unos instantes para reflexionar sobre la naturaleza de esas vivencias y asociaciones que manifiestan los primeros libros americanos. Lo afirmo así porque en esos pasajes persiste un equívoco muy significativo; o, si se quiere, una visión paradójica, que es, tal vez, partícula inicial de la creación imaginativa en las letras americanas. Es preciso fijar de alguna manera en nuestra

---

[26] Aún hacia fines del siglo XVII, las relaciones oficiales de Indias incluirían visiones que se remontan a la literatura hagiográfica del Medioevo; literatura a la que, como bien sabemos, se concedía historicidad absoluta. Antonio de Solís, cronista oficial del Consejo, por citar un ejemplo, describe las hazañas múltiples del demonio, la intervención malévola de los agoreros, etc., *Historia de la conquista de México* (Libro II, cap. 1; Libro III, cap. 5). En el capítulo que dedico a Rodríguez Freyle se observa, en otro contexto, la transposición creativa de esos motivos al folklore americano.

historia cultural ese acto primario de invención que yace en las crónicas del siglo XVI. Debemos reconocer como paso inicial que, en América, el contacto mental y casi fulminante entre el entorno físico y lo legendario inicia una manera de pensar la historia que de por sí invitará repetidamente al concurso de la facultad imaginativa del narrador. Sin ser la única, la hermosa relación del padre Acosta nos proporciona un testimonio ejemplar de esa labor cognoscitiva que funde, con toda delicadeza, la explicación racional y la exégesis polémica con la materia legendaria.

A veces, hasta la documentación de sucesos minúsculos provoca descripciones que súbitamente se transforman en vivencias imaginarias. Pedro Mártir de Anglería, aprovechando su correspondencia personal con Vasco Núñez de Balboa, construyó muchos pasajes en que los hechos dan lugar a una visión lírica del espectáculo que narra. Refiriéndose a la pesca de ostras perlíferas en el Pacífico, el cronista llega a decirnos que las perlas blanqueaban al ser humedecidas por el rocío de la madrugada, o que vibraban suavemente a causa de los cambios atmosféricos. En otros momentos, sus noticias cobran un sesgo aún más audaz. Así, al recordar los primeros encuentros de Colón con pueblos nativos de América, Anglería nos entrega una composición renacentista e idealizada de aquellos sucesos memorables.

> Al aproximarse saliéronle primero al encuentro treinta mujeres... con ramas de palmeras en las manos, bailando, cantando y tocando por mandato del rey, desnudas por completo, excepto las partes pudendas, que tapaban con unas enaguas de algodón. Las vírgenes, en cambio, llevan el cabello suelto por encima de los hombros, y una cinta o bandeleta en torno a la frente, pero no se cubren ninguna parte del cuerpo.
> Dicen los nuestros que su rostro, pecho, tetas, manos y demás partes son muy hermosas y de blanquísimo color, *y que se les*

*figuró que veían esas bellísimas dríadas o ninfas salidas de las fuentes de que hablan las antiguas fábulas*[27].

El padre Las Casas, por su parte, al reconstruir la belleza del escenario americano —según él lo contempló en la Española—, accede a visiones paradisíacas, que se remontan a la decoración codificada que observaríamos, por ejemplo, en múltiples pasajes de la ficción clásica y medieval.

Todas aquellas regiones por la mayor parte son tierras enjutas, descubiertas, altas, rasas, alegres, graciosas, muy bien asentadas. Los collados, los valles, las sierras y las cuestas muy limpias y libres de charcos hediondos, cubiertas de yerbas odoríferas y de infinitas medicinales y de otras comunes muy graciosas de que están cubiertas y adornadas, *y riéndose todos los campos...* Los montes o bosques de todas ellas... son altísimos... Las especies dellos son pinos, de los cuales hay a cada oasis infinita cantidad... Los aires locales son claros, delgados, sotiles y clementes... Las aguas que riegan toda aquella Tierra Firme y sustentan las gentes infinitas della... sotiles, dulcísimas, movilísimas y claras... Y así diremos con toda verdad que todas estas Indias son las más templadas, las más sanas, las más fértiles, las más felices, alegres y graciosas y más conforme su habitación a nuestra naturaleza humana de las del mundo[28].

De esa manera se asumía en aquellos libros iniciales una postura narrativa que, sin aminorar el propósito documental, ejerce la palabra con una manifiesta intención literaria. Eso en sí no es excepcional en los libros históricos de aquella

[27] *Décadas del Nuevo Mundo* (México, Editorial Porrúa, 1964), página 164.
[28] *Apologética historia sumaria* (México, UNAM, 1967), cap. XXI. La cita selecciona trozos diversos de ese capítulo. En otra obra del mismo cronista, al describir buceadores en América, llega a visiones casi monstruosas que también se ubican en las fabulaciones medievales: «Conviértense los cabellos, siendo de natura negros, quemados como pelos de lobos marinos, y sáleles por la espalda salitre que no parecen sino monstruos». *Brevísima relación de la destrucción de las Indias* (México, Sec. de Ed. Pública, 1945), pág. 77.

época, o en algunos de sus modelos más antiguos. Pero la
naturaleza de las relaciones americanas no siempre puede
explicarse a partir de los prototipos historiográficos. Piénsese que, ante el Nuevo Mundo, la narración histórica afronta
nuevas exigencias, que incitan a una revalorización simul-
tánea del discurso y de las metodologías disponibles hasta
entonces. Es imprescindible reconocer que los cronistas de
América iniciaron una formulación demostrativa y racional
de lo narrado, que superaba con mucho a las visiones es-
quematizadas que conoció el hombre medieval; lo cual, si
bien se ve, presupone una alteración del significante y significado de la relación histórica y, a la vez, el establecimien-
to de un logos narrativo que trasciende la normatividad
constituida por el lenguaje según se había asumido en el discurso histórico. En ese proceso, que por necesidad será
creativo, la fabulación —en su sentido más amplio— no es
simple placer verbal o intención decorativa, sino que opera
como jerarquía ordenadora; lo imaginado —por decirlo
así— es entonces un instrumento que escinde y organiza
las variantes, casi infinitas, de lo que era inteligible en la
progresión inusitada de los descubrimientos.

Observaremos, por otra parte, que en innumerables ocasiones, al narrar Oviedo, Acosta y el Inca Garcilaso, informan y a la vez examinan la validez y la configuración misma
del lenguaje que utilizan; lenguaje que desde entonces —y
a ello me refiero explícitamente en la conclusión de este
capítulo— lucha por constituirse de otra manera. Ese sentido de introspección conflictiva, que desde el siglo xvi
manifiesta la escritura americana, puede señalarse ya como
una constante que, en obras muy disímiles, han reconocido
las mentes más lúcidas del mundo hispánico [29]. Escribir,

---

[29] Lo que afirmo aquí se ha expuesto con admirable precisión
conceptual en el reciente libro del profesor Roberto González Eche-

aun en los primeros años de la Conquista, implicaba algo más que la simple relación noticiosa. Los textos cifraban las palabras, pero sin dejar de valorarlas; acaso por ello, en América, la exposición habitual de los acontecimientos admite reiteradamente los más sutiles dobleces expositivos; escribir era un tenso esfuerzo, o un acto de creación que cedía en formas muy variadas ante la pluralidad descompensante que mostraba el Nuevo Mundo. En otras porciones de este libro podremos comprobarlo.

Es ese acto inicial de elaboración creativa el que señalo como elemento distintivo de la crónica; en realidad, en ese esfuerzo está contenida ya una etapa primitiva, pero *sui generis*, de nuestro discurso cultural. Es claro que no todo en nuestras letras ha de explicarse a partir de aquellos estadios germinales. Pero creo que, al aprehender el instante primigenio de creación verbal, tomamos contacto directo con la polisemia que habitualmente manifiestan las crónicas de Indias y, por extensión, la prosa ensayística que derivó, en parte, del discurso historiográfico. Interesa reconocerlo hoy porque aquellos libros permanecen vigentes en nuestra cultura: son textos que narran un pasado cuya significación no es discutible.

### VIGENCIA DE LA COSMOGRAFÍA IDEALIZADA Y DE LOS TÓPICOS LITERARIOS EN LAS CRÓNICAS DE INDIAS

Se ha demostrado ya que, para explicitar el sesgo creativo de nuestra historiografía, siempre habrá que retomarla en su verdadero punto de origen, que no es precisamente el

---

varría *Alejo Carpentier: The Pilgrim at Home* (Ithaca, Cornell University Press, 1977), págs. 15-33.

*Diario* de Colón. Con finas intuiciones y un amplio bagaje documental, Edmundo O'Gorman demostró que América, antes de ser una realidad, fue una prefiguración fabulosa de la cultura europea [30].

Parecería arriesgado iniciar la descripción de un proceso historiográfico aludiendo a creencias que hoy muchos ven como escombros de la historia. No obstante, el riesgo desaparece cuando verificamos que esas leyendas condicionaron, en parte, la visión que el hombre europeo llegó a formarse de América. Una vez revelada su existencia, en pocos años el Nuevo Mundo se convertiría en una entidad conformada por noticias cartográficas, amplias relaciones y las leyendas más asombrosas [31]. Aunque en otra porción de estas notas preliminares me ocupo de la teoría historiográfica en el siglo XVI, anticiparé aquí un valioso texto de Víctor Frankl, que ilustra la proximidad que existía entre el pensamiento histórico renacentista y las concepciones legendarias del pasado.

Se refiere, ante todo, el historiador vienés a la «verdad histórica» que se basa en el recuerdo o en la evocación, según quisieron transmitirlo, por ejemplo, Heródoto y Tucídides: eran, al parecer, las relaciones, que se afincaban en la autoridad de lo 'visto y lo vivido', pero sabemos que ese

---

[30] Ver: *La invención de América* (México, Fondo de Cultura, 1958). Por su relación con estos temas interesa el libro importantísimo del historiador español Juan Manzano *El secreto de Colón* (Madrid, Instituto de Cultura Hispánica, 1977).

[31] Merecen atención especial los estudios de W. E. Washburn «The Meaning of Discovery in the Fifteenth and Sixteenth Century», *American Historical Review*, LXVIII (1962), págs. 1-21; Silvio Zavala, *La utopía de Tomás Moro en la Nueva España y otros ensayos* (México, Librería Robredo, 1937), y el de Charles Sanford *The Quest for Paradise: Europe and the American Moral Imagination* (Urbana, University of Illinois Press, 1961).

punto de vista admitió variantes muy complejas. Aludiendo a ellas, dice **Frankl**:

> Existe en la época del Renacimiento una interpretación de la verdad histórica, según la cual ésta se refiere *a una realidad espiritual oculta a los ojos de los hombres vulgares y carnales, y accesible solamente a los hombres dotados de una visión poética*, a saber, la realidad de los valores ideales que orientan las acciones del héroe, apareciendo en esta concepción, *como descubridor de esta 'verdad', el historiador-poeta.*

También señala el mismo investigador que la 'verdad histórica' en el mundo de los ideales caballerescos se fundaba parcialmente en

> la comprensión y exposición adecuada del coeficiente de la fama, peculiar de algunos hombres y hechos históricos; es decir, el reconocimiento del 'nimbo' que rodea o debe rodear, en la opinión humana, a ciertas personas o acciones, por razón de cierta dignidad intrínseca de las mismas, apareciendo, en esta concepción, como verdadero *objeto de la 'verdad histórica' una realidad más sutil, más sublime, más espiritual, que la realidad bruta de los hechos; a saber: la aureola de la fama,* sea que ésta subsiste en la tradición colectiva de una sociedad, *sea que ella quede ligada a la creación consciente de una obra histórica o literaria* [32].

En la historiografía americana no es fácil ubicar un texto específico en que pudiéramos observar las categorías resumidas por Frankl, pero algunos aspectos de esas concepciones de la 'verdad histórica' podrían encontrarse en muchas crónicas célebres. El ideal caballeresco de la fama resalta, por ejemplo, en la imagen que Gómara cuidadosamente asigna a Hernán Cortés [33]; y la poetización del len-

---

[32] Frankl, *El Antijovio*, págs. 37-38. La cursiva es mía.
[33] Refiriéndose a esa conocida idealización de Cortés, dice J. A. Maravall: «No sólo con Hernán Cortés, sino con otros múltiples aspec-

guaje que pretende una relación sutil de los acontecimientos fue conseguida, más de una vez, en *La Florida* (1605) del Inca y en la *Historia de la Nueva España* (1684) de Antonio de Solís [34].

Es evidente, según he apuntado, que esa postura ante el hecho histórico estuvo precedida y alimentada por un contexto imaginativo que se rejuvenece ante los descubrimientos y la Conquista. En verdad, el acto de prefiguración del Nuevo Mundo se había llevado a cabo en textos memorables; son acaso noticias ofrecidas desde esa curiosa certidumbre que a menudo brota de la intuición y de creencias sugestivas. De la tragedia *Medea* de Lucio Anneo Séneca, el mismo padre Acosta transcribe estrofas que, con razón, le asombran.

> Tras luengos años verná [sic]
> un siglo nuevo y dichoso
> que al Océano anchuroso
> sus límites pasará.

---

tos del tema americano, se aplica ese procedimiento. Es una transposición de los esquemas mentales con que se pensaban las cosas europeas, a las del Nuevo Mundo —en lo que tal vez hay que ver la más colosal empresa intelectual española. Al modo que llevamos ya visto en el ámbito europeo, también el modelo de los antiguos y la referencia a sus escritos están siempre presentes en la mente de estos españoles que emprenden las grandes aventuras transoceánicas. *Antiguos y modernos* (Madrid, Sociedad de Estudios y Publicaciones, 1966), pág. 439.

[34] El título de la relación que dejó incompleta es: *Historia de la conquista de México, población y progreso de la América septentrional conocida con el nombre de Nueva España.* Al comentarla decía José María de Cossío: «Como un poema está concebido el plan, artificiosamente distribuido para mantener un género de interés que hoy llamaríamos novelesco, dejando suspensa la atención del lector de un capítulo para otro y ordenando el desarrollo de los sucesos, ya por sí apasionantes, con una coherente y ordenada distribución». Citado por F. Esteve Barba en *Historiografía indiana* (Madrid, Editorial Gredos, 1961), pág. 107. En las páginas siguientes se confirmará esa estructuración imaginativa del texto de Solís.

Descubrirán gran tierra
verán otro Nuevo Mundo
navegando el gran profundo
que agora el paso nos cierra [35].

Por su parte, San Pablo, en la *Epístola a los Efesios*, daba a enteder que hay otro siglo que no pertenece a este mundo, sino a otros [36]. También, con un sentido especulativo, Acosta expone, por un lado, las creencias y profecías geográficas de San Agustín y Lactancio y por otro, los relatos de Plinio sobre los famosos viajes de Hannón y Euxodo [37]. Es pertinente en lo que he señalado que Plinio fuese para Oviedo, Acosta y otros cronistas un modelo prestigioso y autorizado, ya que su *Historia natural* delata una ausencia de precisión crítica que le lleva a yuxtaponer libremente los hechos y las fabulaciones más extremas [38].

---

[35] *Historia natural*, págs. 27-28. El mismo texto fue utilizado y comentado por Gómara en su dedicatoria a Carlos V, sólo que reproduce el texto en latín. Puede verse en la edición de la *Historia General de Las Indias* (Madrid, BAE, II 1852), pág. 156. Una recopilación de los mismos textos, acaso hoy más asequible, se encuentra en el libro de G. Díaz-Plaja *Literatura Hispanoamericana* (Madrid, Editorial Magisterio Español, 1974), págs. 33-34.

[36] *Historia Natural*, pág. 36.

[37] *Ibid.*, pág. 37. Sobre la desproporcionada influencia de Plinio en la obra de Fernández de Oviedo, véase *Historia general y natural de las Indias*. El lector puede dirigirse a la excelente edición de Juan Pérez de Tudela (Madrid, BAE, 1959), II, pág. 56.

[38] Son representativas de la crítica histórica las aseveraciones que hace James T. Shotwell en su obra *The History of History* (New York, Columbia University Press, 1950), al decir: «En la *Historia natural* de Plinio, la ausencia de espíritu crítico, así como la vasta recopilación que se hace del conocimiento histórico nos revelan las dificultades que experimentó Plinio al distinguir lo ficticio de lo verificable», pág. 281. (La traducción es mía.) Pero piénsese, al juzgar la proyección imaginativa de la historiografía americana, que Plinio es quizá el historiador que más influye en los cronistas principales del siglo XVI. Por otra parte, es lógico que así fuera, ya que la fabulosa

La inspiración suministrada por las relaciones clásicas
—como bien lo apunta Maravall entre otros—, hizo que los
españoles quisieran eclipsar en América proezas heroicas
que se habían narrado detalladamente en viejos libros históricos y de ficción [39]. Impelidos de esa manera por un idealizado proyecto de vida, los europeos que tomaron contacto
con América confundirían aquellas tierras con los esquemas
mentales de una geografía que en parte habían profetizado
Platón y Aristóteles. Debe comprenderse que ese registro
inmenso de creencias que precede al Descubrimiento no era
fácilmente refutable, ya que se autorizaba, como otras formas
del pensamiento medieval y renacentista, en las *Homilías*
de San Juan Crisóstomo y en las mismas *Epístolas* de San
Pablo y de Gregorio Nacianceno. Llevados de ese modo por
leyendas y profecías, los exploradores se enfrentaron a un
mundo concreto, pero imaginado y a su vez confirmado por
la patrística cosmográfica [40].

El interés que despiertan esos documentos e ideas, hoy
remotos, creo que no radica en la curiosidad legendaria de
los mismos. Aquellas frágiles nociones de la antigüedad son
significativas para nosotros porque con ellas se fundamen-

---

relación de Plinio era modelo ideal para historiadores que afrontaban
los espectáculos sin precedente que ofrecía el Nuevo Mundo.

[39] Observa Maravall: «Es más, lo que llama la atención es la
constante presencia, en su recuerdo, del mundo de la Antigüedad
y el vigor del mito clásico, aun en estos escritores (se refiere a los
cronistas) que tratan de invadirlo superponiendo el valor de las
cosas americanas». *Antiguos*, pág. 438. Ese sentido hiperbólico, y de
hecho creativo de la narración, se manifiesta, además, en tonos grandiosos en la *Historia general* de Gómara, pág. 155.

[40] La inspiración literaria quedaría asociada a las aventuras que
emprendían los navegantes. Versos famosos de Horacio serían un
ejemplo, entre muchos, del estímulo a que me refiero: «No hay nada
dificultoso que no acometan y osen los mortales». Traducción de
Diego Ponce de León en *Flores de poetas ilustres* (Madrid, BAE, XIII),
página 9.

taba una primera concepción epistemológica de lo que sería
la realidad americana. Lo que he dicho, podríamos corroborarlo en muchos textos. Gómara, por ejemplo, al declarar
sus fuentes, admite de paso, pero con riguroso sentido documental, el prestigio de libros antiguos que nutren su
visión peculiar del Nuevo Mundo: «Pruébese lo contrario
—dice el cronista— con dichos de los mismos escritores
(se refiere a las partes habitables del mundo) y con autoridades de sabios antiguos y modernos, con sentencia de la
Divina Escritura y con la experiencia» [41].

Sabemos muy bien que pocas relaciones históricas logra-
ron en el siglo XVI la difusión que alcanzó la *Historia general* de Gómara. Pero si confirmo ese dato es para indicar, a
la vez, que en las relaciones de Gómara muchos aspectos de
América aparecerían envueltos en una red de especulaciones
y profecías que dilataban aún más, en la mente del lector
europeo, las primeras imágenes del Nuevo Mundo. Obsérvese
la delicadeza con que el erudito cronista entreteje los hechos
revelados por los descubrimientos con otros que divulgaban
las cosmografías fabulosas de la antigüedad. Es amplia la
cita, pero creo que su contenido la justifica:

> Platón cuenta en los diálogos *Timeo y Cricia* que hubo an-
> tiquísimamente en el mar Atlántico y Océano grandes tierras,
> y una isla dicha Atlántide, mayor que África y Asia, afirmando
> ser aquellas tierras de allí verdaderamente firmes y grandes,

---

[41] Es precisamente lo que hace López de Gómara al especular
sobre la existencia del Continente Austral y el paso del Noroeste: «Si
hay hiperbóreos —dice el cronista— habrá también hipernocios, *como
dijo Herodoto*, que serán vecinos del Sur y quizá son los que viven
en la tierra del estrecho de Magallanes, que sigue la vía del otro polo,
la cual aún no se sabe». *Historia General*, pág. 161. Para un juicio
acertado sobre esa y otras relaciones de Gómara, debe consultarse el
magnífico estudio de Ramón Iglesia *Cronistas e historiadores de la
Conquista de México* (México, sep-setentas, 1972), pág. 182.

y que los reyes de aquella isla señorearon mucha parte de
África y de Europa. Empero que con un gran terremoto y
lluvia se hundió la isla, sorbiendo los hombres; y quedó tanto
cieno que no se pudo navegar más aquel mar Atlántico. *Algunos
tienen esto por fábula y muchos por historia verdadera;* y
Próculo, según Marsilio dice, alega ciertas historias de los de
Etiopía, que hizo un Marcelo, donde se confirma. Pero no hay
para qué disputar ni dudar de la isla Atlántide, *pues el descubrimiento y conquistas de las Indias aclara llanamente lo
que Platón escribió de aquellas tierras, y en México llaman a
la agua Alt, vocablo que parece, ya que no sea, al de la isla.*
Así que podemos decir cómo las Indias son la isla y tierra
firme de Platón, y no las Hespérides, ni Ofir y Tarsis como
muchos modernos dicen; *ca las Hespérides son las islas de Cabo
Verde y las Gargonas, que de allí trujo Hanon monas* [42]*... También puede ser que Cuba, o Haití o algunas otras islas de las
Indias, sean las que hallaron cartagineses, cuya ida y población
vedaron a sus ciudadanos, según cuenta Aristóteles a Teofrasto
en las maravillas de natura no oídas* [43].

Pero si en las relaciones, siempre astutas, de Gómara
persisten nociones al parecer contradictorias y fabulosas,
recuérdese que los influyentes textos de Colón aparecieron

---

[42] Las noticias aluden, una vez más, a datos que, como ya he indicado, proceden de la *Historia natural* de Plinio. Es notable —repito—
la autoridad que concede el padre Acosta a Plinio como fuente primaria. Le cita más de doce veces en los primeros libros de su *Historia
natural.*

[43] En pág. 182. Luis Weckman, en un estudio repleto de datos muy
valiosos, indica sorprendido que «Según Gómara, el Diablo es la principal deidad que se venera en cierta isla del mar Caribe, e inclusive
en aquellos sitios aparece ante sus devotos para hablarles». (La traducción es mía.) También menciona el cronista la ubicación de la
Fuente de la Juventud, «The Middle Ages in the Conquest of America», *Speculum,* XXVI (1951), pág. 133. Sobre lo que acabo de anotar,
consúltese el importante trabajo de L. Olschki «Ponce de Leon's
Fountain of Youth: History of a Geographical Myth», *Hispanic American Historical Review,* XXI (1941), págs. 361-385, y también el conocido libro de L. Swjourne *América Latina: antiguas culturas preco-
lombinas* (Madrid, Siglo XXI, 1976), págs. 101-114.

inmersos en reflexiones visionarias, que el navegante nunca pudo abandonar. Deslumbrado por aquel mundo inusitado que se levantaba ante sus ojos, Colón, en su conocida carta a Luis de Santángel, escribano de los Reyes Católicos, narra mucho de lo que ve como «maravillas», y su testimonio invoca, quizá sin él pretenderlo, tópicos literarios del Medioevo [44]. Refiriéndose, entre otras cosas, a los árboles de Cuba y a las islas circundantes, dice con justificado asombro:

> Dellos era floridos, dellos con fruto, y dellos en otro término, según su calidad; y cantaba el ruiseñor y otros pájaros, de mil maneras, en el mes de noviembre por allí donde andava. Hay palmas de seis o de ocho maneras, ques admiración verlas por la diformidad fermosa dellas, más así como los otros árboles e frutos e yerbas; en ella hay pinares a maravilla, e hay campiñas grandísimas e hay miel, de muchas maneras de aves e frutas muy diversas. En las tierras hay muchas minas de metales e hay gente en estimable número. *La Española es maravilla.*

Más adelante, con la certidumbre que padecería un iluminado, dirá:

> Y dije como ya había andado ciento siete leguas por la costa de la mar, por la derecha línea de Occidente a Oriente, por la isla Juana; esta isla es mayor que Inglaterra y Escocia juntas, porque allende destas ciento siete leguas quedan de la parte del Poniente dos provincias que yo no he andado, la una de las cuales llaman Cibau, *adonde nace la gente con cola...* [45].

En su cuarto viaje, el 13 de mayo de 1503, Colón, con representaciones imaginarias que le inspiraba la cartografía

---

[44] Ver: R. Menéndez Pidal, *La lengua de Cristóbal Colón* (Madrid, Colección Austral, 1959), págs. 9-30.

[45] Martín Fernández de Navarrete, *Obras* (Madrid, B. A. E., 1954), página 170. (La cursiva es mía.)

medieval, cree estar en las islas adyacentes a Catay —que menciona Marco Polo—, cuando en realidad bordeaba trabajosamente las costas centroamericanas [46]. En otra ocasión, con la memoria impregnada de leyendas, el navegante comunicará a los reyes las revelaciones desatinadas de sus propios sueños [47]. Lector, como era, de la obra cosmográfica *Imago Mundi* de Pedro d'Ailly, el descubridor, al encontrarse ante la desembocadura del Orinoco, creyó haber tropezado con el Paraíso Terrenal. Esa ilusión, compartida en otros momentos y otros sitios por el padre Las Casas, estaba inspirada en la cosmografía teológica que deriva parcialmente de los escritos de San Isidoro, Estrabón, San Ambrosio y otros fundadores del pensamiento escolástico [48]. Pero aquellas visiones confesadas por Colón y por los hombres que habrían de seguirle no fueron —como podría creerse— el resultado de la natural euforia que provocaban los descubrimientos. Muchos años después, a mitad del siglo XVII, Antonio León Pinedo, erudito cronista oficial del Consejo de Indias, escribiría un minucioso tratado, que titulaba *El Paraíso en el Nuevo Mundo* [49].

De ese modo, en las primeras décadas del siglo XVI, América se representaba, en la mente de muchos europeos, como un vasto espacio imaginario, verificado y a la vez incógnito; fue una realidad observada, al mismo tiempo, con rigor excepcional, pero también con espanto y fascinación. Unos vieron lo que había en aquellas tierras, y otros

---

[46] *Ibid.*, págs. 179 y sigs.

[47] Sobre la fantasía geográfica que asedia al Almirante, véase Weckman, «The Middle Ages», pág. 131.

[48] Richard Konetzke, *Descubridores y conquistadores de América* (Madrid, Editorial Gredos, 1968). En este libro se fijan otros aspectos del pensamiento de Colón y sobre el contexto intelectual de la época, páginas 59 y sigs.

[49] *Ibid.*, pág. 62.

contemplarían libremente lo que deseaban encontrar[50]. Pero, por encima de las noticias y las transposiciones legendarias, América se vio, cada vez más, como la realización de un gran sueño que durante siglos había acariciado la cultura occidental. Un elocuente testimonio de ello lo encontraremos en la obra del prestigioso historiador Francesco Guicciardini; más de una vez, el sabio florentino exaltó las revelaciones que aportaron los descubrimientos como la materialización de una gran empresa[51].

De hecho, América cobraba en el mapa de la cultura occidental un amplio sentido paradójico, ya que aquellas tierras eran percibidas como promisión y, a la vez, como el hallazgo que ocasionaba la ruptura de viejos esquemas[52]. Juan Luis Vives, contemporáneo de los descubrimientos, en su *De Disciplinis* (1531), dedicada a Juan III de Portugal, afirmaba —con el júbilo que también compartieron Lazzaro Buonamico y Luis Le Roy— esa misma idea: «Verdaderamente —comentaba Vives— el mundo ha sido abierto a la especie humana»[53]. Casi todo lo que sabemos nos indica que América ha retenido, desde entonces, ese signo de proyección futura y de temporalidad dinámica: proyección que en los siglos XVI y XVII hacía la imagen del Nuevo Mundo aún más imprecisa[54]. De cualquier modo, aquellas nociones

---

[50] En general, muchos cronistas del siglo XVI se empeñan en imponer los mitos clásicos a lo que ven en América. Agustín de Zárate, por ejemplo, se inspira en el *Timeo* platónico, y en los comentarios que sobre el mismo hace Marsilio Ficino, para corroborar el mito de la Atlántida. Ver «Hernán Cortés y los héroes de la antigüedad» de W. A. Reynolds, *Revista de Filología Española*, XLV (1962), pág. 450.

[51] *Storia d'Italia* (Bari, Panigada, 1929, Lib. VI, Cap. IX).

[52] Esa paradoja la elucida con gran erudición J. E. Elliot en su libro *El Viejo Mundo y el Nuevo* (*1492-1650*) (Madrid, Alianza Editorial, 1970), pág. 29.

[53] Citado por J. E. Elliot, *ibid.*, pág. 23.

[54] Creo que la imposición de tradiciones legendarias sobre el

e imágenes con los años serían base de un referente cultural que ha fundamentado al pensamiento americano. Ello equivale a decir que la percepción imaginaria del pasado se incorporó como un valor integral en el marco historiográfico y literario del Nuevo Mundo. No exagero, pues, al afirmar que, desde aquella época, la cultura emericana, aunque prendida a los modelos europeos, se desenvuelve en un espacio ilimitado: espacio que por necesidad impele a la creación de un discurso reflexivo en el que obsesivamente se elucidan nuestros orígenes y que tiende a ver la historia como una dramática representación cultural.

Pero, al contemplar la predisposición creativa de nuestra historia, se descubre que no todo el material legendario fue evocado por asociaciones espontáneas; en algunos casos, viejas leyendas fueron narradas —y esto me parece de singular interés— por «razones de estado». En una polémica, bien conocida, que mantuvieron Marcel Bataillon y Edmundo O'Gorman, el hispanista francés examina, entre otros documentos, una carta de Carlos V, en la que el emperador agradece a Fernández de Oviedo pesquisas que el cronista llevó a cabo para demostrar, entre otras cosas, que las Antillas habían pertenecido a la corona española por más de tres mil años. Según se sabe, la elaboración de Oviedo resucita la antiquísima leyenda de las Hespérides, que se invocaba en aquella ocasión para desvirtuar algunas de las reclamaciones que hacían los herederos de Colón ante la corona. El tesón imaginativo de Oviedo provocó a su vez la gratitud explícita del emperador.

---

mundo americano debe verse como una solución de continuidad histórica, que en parte atenuaba el sentido de ruptura a que me he referido, y que de hecho implicaba la presencia y naturaleza del ámbito americano.

> También vi lo que decía que tenéis escrito y entendéis de
> enviar probado con cinco autores, que esas islas fueron del rey
> de España duodécimo, contando desde el rey Tubal, que tomó
> ciertos reinos después de Hércules, año de 1558 antes que nues-
> tro Redentor encarnase, de manera que este presente año se
> cumplen 3.001 años que esas tierras eran del cetro real de Es-
> paña; y que no sin gran misterio, al cabo de tantos años, las
> volvió Dios cuyas eran... [55].

La instrumentalización de la historia con fines pragmá-
ticos no siempre favorecía —según hemos visto— el trazado
objetivo de los hechos. Indirectamente, lo imaginado, por
decirlo así, se infiltró hasta en los más importantes textos
oficiales. El ejemplo predilecto, y quizá más refinado, de
lo que señalo ahora se encontrará en la compleja proyección
autobiográfica que nos revelan las *Cartas de relación* (1523-
1525) de Hernán Cortés. Por su parte, W. A. Reynolds, en
un valioso estudio ya citado, ha descrito los sistemas de
comparaciones que, posteriormente, se utilizaron en textos
literarios e historiográficos para vincular la figura de Cortés
con las de muchos héroes clásicos [56]. Esa práctica ilumina,
como pocas, la laboriosa ficcionalización de la historia que
persistió en libros prestigiosos.

A su vez, Víctor Frankl y el historiador inglés J. H. Elliot
han demostrado que las *Cartas de relación* son, en varios
órdenes, una espléndida elaboración imaginativa de los hechos; elaboración que sirve, entre otras cosas, para justificar desde los códigos jurídicos y políticos —que resumen
las *Siete Partidas*— la conducta audaz y rebelde de Cortés
en la Nueva España. Los relatos de Cortés también son,

---

[55] La cita aparece en el conocido estudio de Ramón Iglesia *Vida
del Almirante don Cristóbal Colón escrita por su hijo don Hernando*
(México, Fondo de Cultura, 1947), pág. 38.

[56] Reynolds, «Hernán Cortés», págs. 259 y sigs.

vistos de otro modo, la creación deliberada de su *persona histórica;* imagen esa que es ficticia y verídica, y que él elaboró persuasivamente —inspirándose, sobre todo, en modelos literarios— para fijar su imagen heroica en la mente del emperador [57]. No es fácil imaginar, a propósito de esos textos, que un hombre que poseía la astucia y las facultades analíticas de Cortés enviase apresuradamente a su sobrino a la caza de amazonas. Cabe suponer, pues, que en la memoria del sagaz conquistador permanecían latentes, entre otras, las imágenes de la reina Calafia y otros hechos bien conocidos, que se narran, por ejemplo, en *Las sergas de Esplandián* (1508) [58].

Aun las investigaciones más escépticas reconocerán que el trasfondo legendario a que he aludido fue, desde un principio, parte integral de la realidad americana. Esas transposiciones no pueden juzgarse hoy como una larga retahíla de circunstancias caprichosas que la historia podría ignorar [59]. Aquéllas eran imágenes mentales que respondían, con toda certeza, al sistema analógico propio del ocaso medieval y de

---

[57] A pesar de su astucia y la comentada modernidad de su pensamiento, Cortés, sujeto también a la tradición legendaria, sueña con islas repletas de riquezas fabulosas y de otras «cosas admirables». Ver Wackman, «The Middle Ages», pág. 132.

[58] El resplandor heroico que fomentaron los libros de caballerías en la Conquista lo ha documentado el profesor Irving Leonard en su renombrada obra *Los libros de los conquistadores* (México, Fondo de Cultura, 1953). Allí cita esta conocida frase, atribuida a Cortés por Bernal Díaz, cuando se avistaban las costas de México: «Denos Dios ventura en armas, como al paladín Roldán, que en lo demás, teniendo a vuesa merced y a otros caballeros por señores, bien me sabré entender», pág. 53.

[59] Para comprender la importancia que tuvieron esas creencias en el pensamiento del siglo XVI y después, deben consultarse los libros de Gonzalo Menéndez Pidal *Imagen del mundo hacia 1570* (Madrid, Gráficas Ultra, 1944) y Gerbi Antonello *La disputa del Nuevo Mundo* (México, Fondo de Cultura, 1960).

los albores renacentistas. Dada la forma en que América fue prevista, no debe sorprendernos que sus caminos vírgenes fueran recorridos en busca de las cosas más inauditas. Pensemos también que poblar a América con leyendas y mitos era una manera de europeizarla y de conocerla. El 'elixir de la larga vida' que soñó encontrar la antigüedad, y que motivó en la Edad Media las búsquedas más aparatosas, se procuraría en el Nuevo Mundo con la misma solicitud que desplegó Juan de Mandeville al relatar su hallazgo milagroso junto a la ciudad de Palombe[60]. Sin aludir apenas a la ensoñación y aventuras que provocó en tantos El Dorado[61], otras leyendas dieron en América frutos muy concretos, que accidentalmente afirmaron la dimensión mítica de las tierras recién descubiertas.

Los hechos a que me he referido no deben sorprendernos; recuérdese que los caminos que llevaban al lago en que dormía el sol (Titicaca) revelaron, de paso, el esplendor de Cuzco y Potosí, donde la milenaria Sierra de Plata dio a España riquezas inconmensurables. Luego, desde aquellas sierras del altiplano se echarían a volar sobre América nuevas leyendas de tesoros escondidos por los chibchas, incas y otros pueblos; leyendas que con los años fueron materia de preciosos relatos y que recogerían el Inca Garcilaso

---

[60] La enumeración de incidentes relacionados con ese y otros mitos se documenta en la obra de Enrique de Gandía *Historia crítica de los mitos de la conquista americana* (Madrid, Sociedad General Española de Librerías, 1929), págs. 49 y sigs.

[61] La significación y variantes de esa leyenda se tratan en el excelente estudio de Antonio Antelo «El mito de la Edad de Oro en las letras hispanoamericanas del siglo XVI», *Thesaurus*, XXVII (1973), páginas 279-330. Es útil también su trabajo «Literatura y sociedad en la América española del siglo XVI. Notas para un estudio», *Thesaurus*, XXVII (1975), págs. 1-32. (Tirada aparte). Ambos estudios contienen abundante material bibliográfico.

y otros cronistas virreinales [62]. En términos similares, las
orillas del golfo de Venezuela evocaron en la mente de
Hojeda imágenes de Venecia, y hasta el racional calculador
Américo Vespucio, en algún momento, no sólo creyó ver
gigantes en las costas del Nuevo Mundo, sino que llegó a
sentirse próximo al paraíso terrenal [63].

La imaginación hispánica, sobresaltada por siglos de re-
conquista guerrera, hizo posible la actualización de fábulas
en las que se narraban, por ejemplo, azarosas peregrinaciones de los apóstoles por América. Esas noticias serían
refutadas por Gómara, pero, con todo, fueron muchos los
que aseguraban que Santo Tomás había recorrido los caminos que llevan de Brasil a Paraguay; y, en la Nueva España,
un curioso proceso sincrético hizo posible que el santo se
identificara con Quetzalcoatl [64]. Hoy sabemos que el motivo

---

[62] Uno de ellos será, por ejemplo, el que se ha intitulado «Un
tesoro escondido» y que el Inca Garcilaso de la Vega inserta en sus
*Comentarios reales* (I, Libro III, cap. XXV). Pero, como bien se sabe,
esas y otras leyendas dan origen a la tradición de relatos geográficos
fabulosos sobre la Tierra Rica de los Majos, de los Caracaraes y del
Paititi. Noticias similares se dan en la expedición de Hernando de
Ribera que motivó los cuentos de la laguna de los Xarayes. En *El
carnero*, de Juan Rodríguez Freyle, el tema del tesoro escondido se
vuelve a narrar (cap. VII), aunque en este caso la relación parece
inspirarse en el modelo reelaborado por el Inca Garcilaso.

[63] R. Konetzke, *Descubridores*, págs. 72-73.

[64] Se ha pensado, y a veces con razón, que esas leyendas fueron
divulgadas principalmente por los jesuitas. Lo cierto es que los relatos sobre las peregrinaciones de Santo Tomás se inician a mediados
del siglo XVI. El jesuita Navarro Martín de Azpilcueta, desde San
Salvador de Bahía (1549), dice que allí se recordaban las predica-
ciones de Santo Tomás. El testimonio lo da el padre Antonio Calancha en su «Crónica moralizada de los ermitaños de San Agustín
en el Perú». Los datos relativos a esas leyendas los divulgó, en forma
organizada, Marcos Jiménez de la Espada en una ponencia titulada
«Del hombre blanco y signo de la cruz precolombianos en el Perú»
(Bruselas, *Actas del Congreso Internacional de Americanistas*, 1879),
páginas 203 y sigs. Para más datos sobre esa tradición, véase Enrique

variadísimo de las peregrinaciones reaparece como un eco
intermitente en obras disímiles a lo largo del siglo XVI; es
un tópico de gran amplitud, que tal vez encontró su posibilidad literaria más lograda en la *Peregrinación del hermano
Bartolomé Lorenzo* (1586), que debemos al padre Acosta [65].

Es siempre útil, al referirnos a estas cuestiones, tener
presente que la historiografía medieval —que se mantuvo
como influencia preponderante en las crónicas americanas—
no solía establecer las distinciones precisas entre el pasado
y el presente a que estamos habituados hoy. Pienso, por
ejemplo, en el culto historiador Florentino Ricordano Ma-
lespini, que, al comentar anécdotas en torno a Catilina, describe a su mujer, Belisa, oyendo misa, acompañada por un
centurión [66]. De igual modo, nos sorprenderá verificar que el
arte del Medioevo representó a Moisés y a Alejandro Magno,
entre otros, con las vestiduras espectaculares de los caballeros medievales [67]. Las distinciones confusas, entonces, en-

Gandía, *Historia crítica*, pág. 227. Las leyendas recopiladas por el padre
Calancha aparecen en *Crónicas agustinianas del Perú*, 2 vols., edición
de Manuel Merino (Madrid, Consejo Superior de Investigaciones Científicas, 1972), págs. 2 y sigs. En relación con lo expuesto quiero subrayar que el estudio más importante en todos los órdenes sobre la
significación de esas leyendas en la historia americana se debe a
J. Lafaye, *Quetzalcóatl y Guadalupe: formación de la conciencia nacional de México* (México, Fondo de Cultura, 1977).

[65] En breve el profesor José J. Arrom dará a conocer un estudio
minucioso sobre esta narración de Acosta, que será publicada en las
*Memorias del XVIII Congreso del Instituto Internacional de Literatura
Iberoamericana*. El profesor Arrom publicará, también en breve, un
importante estudio sobre el cuento literario en las letras coloniales.

[66] La vivencia temporal y sus peculiaridades en la literatura medieval se describe explícitamente en el ensayo de Peter Burke «Medieval Historical Thought», en *The Renaissance Sense of the Past* (New
York, Saint Martin's Press, 1969), págs. 1-20.

[67] Otro ejemplo notable de la incertidumbre cronológica en el
Medioevo fue determinado, en gran parte, por la postura tomada
ante la Biblia. El texto era obra de Dios y, como tal, escapaba a toda

tre lo histórico y lo profético, según ha señalado Eric
Auerbach, no siempre pudieron reconciliarse dentro de un
esquema armonioso [68]. Ello nos explicará, en más de un caso,
la integración arbitraria de sucesos distantes en el tiempo,
pero que a veces encontramos en las relaciones históricas
de Indias [69].

Era de esperar que los primeros libros que describieron
el Nuevo Mundo aprovecharan una gran variedad de antecedentes literarios y visiones ilusorias, que a su vez encon-
traban el escenario más propicio en aquellos sitios remotos
de América. Sin que pretenda aquí enumeraciones detalladas,
pueden elegirse, casi al azar, varios motivos que cultivaron
los libros de ficción y que retomaron, aunque en formas
muy diferentes, los cronistas de Indias. Sobresalen, entre
otras, las historias de náufragos abandonados a que aluden

---

noción de temporalidad. Y aunque las Sagradas Escrituras fueron
ocasionalmente interpretadas a niveles diversos (moral, alegórico,
histórico, etc.), en el esquema mental que perdura hasta el Renacimiento, Dios es el autor de la historia y los hechos son metáforas
suscitadas por esa realidad primaria. El historiador holandés Johan
Huizinga comentaba, con razón, que la mentalidad simbólica del
hombre medieval se veía en una fase conflictiva cuando quiso establecer una causalidad racional y ordenada de los hechos. Peter Burke,
*ibid.*, pág. 20.

[68] *Mimesis: The Representation of Reality in Western Literature*
(Princeton, Princeton University Press, 1953), págs. 10-12. Hay edición
en castellano, del Fondo de Cultura, pero no la he tenido a mi alcance.

[69] El Inca Garcilaso, por ejemplo —y no es el único cronista que
lo hará—, presenta la intervención guerrera del Apóstol Santiago en
favor de los españoles. *Historia general del Perú.* (Segunda parte de
los *Comentarios reales,* Libro II, cap. XXIV.) En tales casos, no sólo
se relata un proceso histórico, sino que, además, se confirma la voluntad divina: incluir esos incidentes era también una tópica que
confería dignidad 'histórica' a la obra. Los textos del Inca que cito
en este trabajo se toman de la edición del P. Carmelo Sanz de
Santamaría, *Obras Completas,* 4 vols. (Madrid, BAE, 1965). Indico
sucesivamente parte, libro y capítulo.

Fernández de Oviedo, Bernal Díaz y muchos otros [70]. Aunque a veces el naufragio da lugar a la anécdota pasajera, en otros casos ese motivo fue desarrollado con amplitud inesperada. A mi parecer, la concepción literaria más refinada de aquellas aventuras y desastres se logró en los *Comentarios reales* del Inca Garcilaso. Su relato en torno a «El naufragio de Pedro Serrano» (I, II, cap. VIII) [71] es, en todos los órdenes, una estructura narrativa que trasciende las restricciones impuestas por el marco histórico. En ella, Garcilaso consiguió una representación imaginaria de los hechos que remite directamente a los modelos literarios codificados es las *novellas* de rescates y naufragios; género, por cierto, tan estimado en el siglo XVI [72].

Mantengo, además, que el cuento del Inca, lejos de ser un hecho superfluo, adquiere una relevancia especial en los *Comentarios* y, por extensión, en la historiografía de Indias. Ese texto, entre muchos, inserta en la historia las revelaciones sutiles que sólo alcanza la reflexión creativa. Aunque a ello me refiero detalladamente en los capítulos que siguen, quiero advertir, sin embargo, que «El naufragio de Pedro Serrano», como otras interpolaciones similares, constituye una elaboración de segundo grado [73], en que las fabulaciones —entonces dispersas en los escenarios de América— quedan

---

[70]   Gandía, *Historia crítica*, pág. 267.

[71]   Este texto lo ha estudiado minuciosamente José J. Arrom en su artículo «Hombre y mundo en el Inca Garcilaso», *Certidumbre de América* (Madrid, Editorial Gredos, 1971), págs. 27-35.

[72]   Puede consultarse C. B. Bourland, *The Short Story in Spain in the Seventeenth Century with a Bibliography of the Novela from 1576-1770* (Northampton, Smith College Press, 1927).

[73]   El Inca dice haber recibido el relato de un informante llamado Garci Sánchez de Figueroa, «a quien yo se lo oí, que conoció a Pedro Serrano». La estratagema tiene antecedentes literarios muy bien conocidos, y creo que la invocación de esa 'tópica' narrativa parcialmente nos sirve para confirmar el cariz imaginativo del relato.

formalizadas por los convencionalismos de la escritura literaria. En esos relatos, el Nuevo Mundo se configuraba, una vez más, a imagen y semejanza de leyendas populares y de los libros de ficción. El cuento del Inca, y muchos otros de la misma índole, son los textos que transmutan, de una manera explícita, las narraciones ocasionales gestadas por el Descubrimiento en creaciones literarias propiamente dichas. Para disfrutar el hecho y calibrarlo en toda su amplitud, reproduzco aquí un fragmento de «El naufragio de Pedro Serrano». Reconoceremos de inmediato la postura omnisciente de un relator que incluso se adentra en los procesos mentales de sus personajes; son ya entes figurados que instauran, en todos los órdenes, una duplicación interior propia del discurso mimético. Nos sorprenderá, por ejemplo, la dramatización, muy efectiva por cierto, del instante en que Pedro Serrano descubre la presencia de otro náufrago en aquella isla desolada.

Al cabo de los tres años, una tarde, sin pensarlo, vio Pedro Serrano un hombre en su isla, que la noche antes se había perdido en los bajíos de ella, y se había sustentado en una tabla del navío; y como luego que amaneció viese el humo del fuego de Pedro Serrano, sospechando lo que fue, se había ido a él, ayudado de la tabla y de su buen nadar. Cuando se vieron ambos, no se puede certificar cuál quedó más asombrado de cuál. Serrano imaginó que era el demonio que venía en figura de hombre para tentarle en alguna desesperación. El huésped entendió que Serrano era el demonio en su propia figura, según lo vio cubierto de cabellos, barbas y pelaje. Cada uno huyó del otro, y Pedro Serrano fue diciendo: «Jesús, Jesús, líbrame Señor del demonio». Oyendo esto se aseguró el otro, volviendo a él le dijo: «No huyáis, hermano, de mí, que soy cristiano como vos». Y para que se certificase, porque todavía huía, dijo a voces el Credo; lo cual oído por Pedro Serrano, volvió a él, y se abrazaron con grandísima ternura y muchas lágrimas y gemidos, viéndose ambos en una misma desventura sin espe-

ranza de salir de ella. Cada uno de ellos brevemente contó al
otro su vida pasada. Pedro Serrano, sospechando la necesidad
del huésped, le dio de comer y de beber de lo que tenía, con
que quedó algún rato consolado, y hablaron de nuevo de su
desventura. Acomodaron su vida como mejor supieron, repar-
tiendo las horas del día y de la noche en sus menesteres de
buscar mariscos para comer, y ovas y leña y huesos de pescado,
y cualquiera otra cosa que la mar echase para sustentar el
fuego; y sobre todo la perpetua vigilia que sobre él habían de
tener, velando por horas porque no se les apagase. Así vivieron
algunos días; mas no pasaron muchos que no riñeron, y de
manera que apartaron rancho, que no faltó sino llegar a las
manos, porque se vea cuán grande es la miseria de nuestras
pasiones; la causa de la pendencia fue decir el uno al otro, que
no cuidaba como convenía de lo que era menester; y este
enojo y las palabras que con él se dijeron, los descompusieron
y apartaron. Mas ellos mismos, cayendo en su disparate, se
pidieron perdón, y se hicieron amigos y volvieron a su compañía y en ella vivieron otros cuatro años.

Para esclarecer lo que he apuntado, el relato del Inca
—cifrado plenamente en los moldes retóricos de la ficción—
podría compararse con otro muy conocido que desarrolló
Bernal Díaz en su vejez; pero el del conquistador es una
narración que no muestra —como se verá— una alteración
significativa de la postura que el cronista mantiene a lo
largo de su obra. Se trata, por cierto, de un episodio motivado por las expediciones que naufragaron en las costas de
la Nueva España.

E luego se embarcaron en los navíos con las cartas y los
dos indios mercados de Cozumel, que las llevaban, y en tres
horas atravesaron el golfete y echaron en tierra los mensajeros
con las cartas y rescates; y en dos días las dieron a un español
que se decía Jerónimo de Aguilar, que entonces supimos que
ansí se llamaba, y de aquí adelante ansí le nombraré, y desque
la hobo leído y rescebido el rescate de las cuentas que le en-
viamos, él se holgó con ello y lo llevó a su amo el cacique

para que le diese licencia, la cual luego se le dio para que se fuese a donde quisiese. Y caminó el Aguilar a donde estaba su compañero, que se decía Gonzalo Guerrero, en otro pueblo cinco leguas de allí, y como le leyó las cartas, el Gonzalo le respondió: «Hermano Aguilar: Yo soy casado y tengo tres hijos y tiénenme por cacique y capitán cuando hay guerras; íos vos con Dios, que yo tengo labrada la cara y horadadas las orejas. ¡Qué dirán de mí desque me vean españoles ir desta manera! E ya veis estos mis hijitos, cuán bonicos son». (Capts. XXVII, XXIX) [74].

Al contemplar el texto, debe señalarse la astucia con que Bernal Díaz ha fragmentado el episodio para utilizarlo como eficaz mecanismo de enlace en tres capítulos sucesivos; sabemos, con toda certeza, que ese relato documenta un incidente histórico, pero reconoceremos a la vez que la narración está muy próxima a la materia ligera de cuentos populares sobre los mismos temas [75].

Al subrayar aquí los tópicos de aventuras y fracasos en el mar, que se recogen en las letras coloniales, es preciso consignar la obra que nos proporciona un desarrollo mucho más extenso de esos temas. Me refiero, claro está, a los *Naufragios* (1542) de Alvar Núñez Cabeza de Vaca; texto que admite, por su naturaleza, gran diversidad episódica y estratos narrativos muy disímiles. Son rasgos que no han reconocido la crítica ni el análisis histórico, pero que necesariamente deben ser afrontados en el contexto de este trabajo.

---

[74] *Historia verdadera de la conquista de la Nueva España* (Madrid, Colección Austral, 1968). El texto de Bernal no rebasa, en su desarrollo, el esquema de la anécdota ocasional, pero revela, por otra parte, un estadio primario de integración cultural, que anticipa lo que ocurría durante siglos de colonización.

[75] También son de interés las observaciones que hace sobre Bernal Díaz Irving Leonard, *Los libros*, págs. 50-51, 68-75 y 157.

Quizá lo más notable en los *Naufragios* es que el aparente descuido y la sencillez expositiva del discurso parecen desmentir todo propósito literario. Pero una lectura detallada en seguida pone al descubierto procedimientos retóricos que logran la intensificación expresiva de lo narrado y que son, por lo demás, fácilmente identificables. La progresión veloz de los hechos está conseguida, en muchos fragmentos, por el uso oportuno de la *brevitatis formula*, elucidada más de una vez por Curtius [76]; es un recurso que en los *Naufragios* ejerce control evidente sobre la progresión narrativa, al condensar los segmentos que enlazan un incidente con otro. Aunque el cronista será a veces excesivamente explícito en la descripción de los hechos, la figura retórica utilizada por Núñez sugiere eficazmente una comprensión ilusoria del discurso. «Los trabajos —dice Alvar Núñez— que pasé sería largo contarlos, así de peligros y hambres como tempestades y fríos» (XVI) [77].

El espectáculo recurrente de tempestades, que se dramatizan en tantos episodios, remite a escenas muy conocidas de viajes fabulosos que aún se narraban con gran éxito en tiempos de Alvar Núñez. Consignamos, pues, en el marco descriptivo un tópico que sirve una y otra vez para emplazar los hechos: «Donde siempre hay grandes tormentas y tempestades» (V); y «Otro día de mañana comenzó el tiempo a dar no buena señal» (I); «por temor de las grandes tempestades que continuamente en aquella tierra suele haber» (VI) [78].

[76] *European Literature*, pág. 488. Acerca de la conceptualización de los *topoi*, véase el comentario que ofrece Erich Auerbach sobre la teoría de Curtius en *Romanische Forschungen*, vol. LXII, 1950, páginas 237-245.

[77] Cito por la edición de Justo García Morales (Madrid, Aguilar, 1945), pág. 43.

[78] Según mis datos, el primer análisis de los motivos literarios y

Como ya indicó E. Auerbach, la reiteración meticulosa de temas y fórmulas retóricas es un procedimiento explícitamente sancionado en las poéticas latinas del medioevo[79]; elaboraciones que se aprovechaban para dar mayor coherencia estructural a la narración e intensificar, a su vez, la verosimilitud de lo narrado. Es claro, por otra parte, que el despliegue de fórmulas autorizadas por los preceptos retóricos también se cultiva en los *Naufragios* para otorgar alguna dignidad literaria del texto[80]. Puede advertirse, al mismo tiempo, que en la narración de Alvar Núñez las variantes del presagio —resorte de gran trascendencia en la literatura hagiográfica y la novela bizantina— no sólo se verifican en referencias a tempestades y naufragios, sino que se consiguen, además, mediante la alusión a prendas o misteriosos amuletos:

> En este tiempo Castillo vio al cuello de un indio una hebilleta de talabarte de espada, y en ella cosido un clavo de herrar; tomósela y preguntámosle qué cosa era aquélla, y dijéronnos que habían venido del cielo. Preguntámosle más, que quién la había traído allá, y respondieron que unos hombres que traían barbas como nosotros (XXXII)[81].

En los *Naufragios* también podrían aislarse formas del relato fantástico que confirman la inclinación imaginativa

---

fórmulas retóricas que el texto convoca se ofrece en el trabajo de René P. Garay «La tradición medieval en los *Naufragios* de Alvar Núñez Cabeza de Vaca», que en breve se publicará.

[79] *Mimesis*, pág. 105. Ver además: C. S. Lewis, *The Discarded image: An introduction to Medieval and Renaissance Literature* (Cambridge, Cambridge University Press, 1970), págs. 186 y sigs.

[80] La aplicación de esa técnica la documenta María Rosa Lida de Malkiel en *La originalidad artística de la Celestina* (Buenos Aires, E. U. D. E. B. A., 1968), págs. 543-547.

[81] La aplicación de ese recurso la elucida David Lagmanovich en su valioso estudio «Los *Naufragios* de Alvar Núñez como construcción narrativa», que será publicado por el *Kentucky Romance Quarterly*.

del texto y la vocación de narrador que poseía el cronista. Sin que me proponga ahondar en esos aspectos de la obra, señalo dos narraciones breves, pero ambas muy sugestivas: me refiero al «Cuento de la mala cosa» (XXII) y al relato en torno a la «Mora de Castilla» (XXXVIII). En la primera se describe un ser misterioso y repugnante que daba puñaladas a los indios y les sacaba pedazos de intestinos a través de las heridas para luego curarlos prodigiosamente. Pero, al consignar esas revelaciones, Alvar Núñez añade:

> De estas cosas que ellos nos decían, nosotros nos reíamos mucho, burlando de ellas; y como ellos vieron que no lo creíamos, trujeron muchos de aquellos que decían que él había tomado, y vimos las señales de las cuchilladas que él había dado en los lugares y en la manera que ellos contaban (XXII).

Indica con toda razón el profesor David Lagmanovich que ese fragmento de Alvar Núñez evoca un motivo, por cierto muy antiguo, que se ha reelaborado en «La Flor de Coleridge» de Jorge Luis Borges. El escritor argentino reproduce un curioso texto de Coleridge que sin duda se vincula, por su naturaleza, al incidente que acabamos de leer en los *Naufragios*. El fragmento en cuestión reza: «si un hombre atravesara el Paraíso en un sueño, y le dieran una flor como prueba de que había estado allí, y si al despertar encontrara esa flor en su mano..., ¿entonces qué?» [82].

El relato sobre la «Mora de Castilla» aporta una variante literaria —nada simple por cierto— de la profecía, tema que de modo similar se inscribe en la práctica filosófico-literaria de Borges y que reconoceríamos en innumerables textos a lo largo del período colonial. Dicho en pocas palabras: ocurre que todas las aventuras y vicisitudes descritas por Alvar

---

[82] *Otras Inquisiciones*, pág. 20.

Núñez en su vasta relación estaban previstas y contenidas
en la profecía. Lo que sucede es que Alvar Núñez, al narrar
sus aventuras, no ha hecho más que recordar lo profetizado. De esa manera se cancela por un instante la progresión
lineal de la historia que repentinamente queda supeditada
al mundo de la ficción. Es, por lo tanto, la historia trans-
ferida a la dimensión eternamente futura de la profecía. Lo
que descubrimos en definitiva es que la Mora de Hornachos
había emitido un vaticinio que abarca todos los hechos vi-
vidos por Alvar y que, a la vez, los autoriza. Así, la magia
de este procedimiento inserta, de golpe, la totalidad de los
*Naufragios* en el tiempo ilimitado de la fabulación inconclusa.

Pienso, además, que la profecía emitida por la Mora de
Hornachos es un eco de muchas leyendas que en la antigüedad y en la Edad Media se narraron en torno a los
peligros de la navegación en los «mares tenebrosos» y desconocidos [83] y fueron revitalizadas en el azar de los descubrimientos.

Pero ocurre que esas interpretaciones creativas de la
historia, en formas aún más reducidas, se destacaban también en las obras de los primeros y más sobrios cronistas.
«El Becerrillo», un breve pero punzante cuento que el padre
Las Casas inserta en su *Historia de Indias* (libro II, cap. LV),
confirma, en los inicios de la conquista, la presencia ascendente del testimonio imaginario en la historia [84]. De mayor
envergadura y del mismo fraile es el complejo relato en
que se describe con toda minuciosidad la rebelión del cacique

---

[83] Esos hechos también fueron poetizados por Juan de Castellanos en sus *Elegías* (Elegía IX, canto I), libro que se utilizó ampliamente como valiosa fuente informativa.

[84] Ver José J. Arrom, «Becerrillo: comentarios a un pasaje narrativo del Padre Las Casas», *Homenaje a Luis Alberto Sánchez* (Lima,
Universidad de San Marcos, 1968), págs. 41-44.

taíno Enriquillo (libro III, cap. XXXVIII); texto que por
su obvia calidad literaria recogen hoy las mejores antolo-
gías de la narrativa breve hispanoamericana.

## LA INCIDENCIA PREMEDITADA DE LO LEGENDARIO

Por lo demás, en otros momentos serán las rivalidades y
opiniones encontradas las que pondrán al descubierto, en
la crónica, la presencia del sustrato legendario. Intenciona-
damente me aparto ahora del relato intercalado como tal,
para verificar, en otro plano, el margen de creatividad que
facilita el ejercicio paródico en la labor historiográfica. Fernández de Oviedo —como ha comprobado recientemente el
profesor Bataillon— reconstruyó con marcada ironía la in-
feliz empresa colonizadora del padre Las Casas en Tierra
firme. Lo que me interesa consignar en este caso no es el
mérito de las posturas asumidas por unos y otros, sino la
proyección de idealismo caballeresco —y de hecho literario—
que se infiltraba hasta en las más ingenuas y generosas
empresas colonizadoras de la Conquista. Éstas son las palabras de Oviedo:

> Que la gente que se avía de enviar con él [Las Casas] no
> avían de ser soldados, ni matadores, ni hombres sangrientos e
> cobdiciosos de guerra, ni bulliciosos, sino muy pacífica e mansa
> gente de labradores, y aquestos tales *haciéndoles nobles y ca-*
> *balleros de espuelas doradas*, y dándoles el pasaje y matalotaje
> y haciéndoles francos y ayudándolos para que poblasen, con
> otras mercedes muchas que pidió para ellos, como les paresció.

En otro fragmento agrega detalles aún más explícitos:

> Y cuando llegó a la tierra con aquellos de sus *labradores*
> *nuevos caballeros de espuelas doradas que él quería hacer*, quiso
> su dicha y la de sus *pardos mílites* que halló al capitán Gonçalo

de Ocampo, que avía ya castigado parte de los malhechores, y poblado aquel lugar que llamó Toledo, y estaban las cosas en otro estado que el Clérigo avía arbitrado...

Y allí tenía [Las Casas] algunos de los españoles que consigo traxo *muy llenos de esperanza de la caballería nueva que les avía prometido, con sendas cruces roxas,* que en algo querían parescer a las que traen los *caballeros de la Orden de Calatrava* [85].

Lo curioso es, por cierto, que Oviedo también había solicitado, en otro momento, una concesión de tierras, llevado, en parte, por ideales caballerescos similares a los que ahora ridiculiza. Dice el profesor Bataillon refiriéndose a ello:

> El mismo Oviedo había sido candidato a una concesión análoga a la de Las Casas. Había pedido y obtenido —según su testimonio— en principio el gobierno de Santa Marta entre la tierra concedida a Las Casas y el Istmo de Panamá. Pero en el momento de redactar el contrato había pedido la concesión (según las propias declaraciones de Oviedo) 'Cient hábitos de Santiago para cient hombres hijosdalgo en quien concurriesen la limpieça del linaje a las otras calidades con quien se suele admitir este hábito militar a quien su Majestad quiere honrar y hacer merced' [86].

Ampliándolo todo con matizaciones un tanto ásperas, Gómara relata la empresa frustrada de Las Casas, y es obvio que disfruta la reelaboración morosa de aquellos hechos.

---

[85] *Historia general y natural,* I parte (Libro XIX, cap. V). La cursiva es mía. Sobre los antecedentes literarios de Oviedo debe consultarse el estudio de Juan Bautista Avalle Arce «El novelista Gonzalo Fernández de Oviedo y Valdés, alias de Sobrepeña», en *Estudios de literatura hispanoamericana en honor a José J. Arrom,* Edit. por A. Debicki y E. Pupo-Walker (Chapel Hill, North Carolina Studies in Romance Languages, 1974), págs. 83-86.

[86] *Estudios sobre,* pág. 162. *Ibid.,* II parte (Libro VII, cap. I).

Pidió labradores para llevar, diciendo no harían tanto mal como soldados desuellacaras, avarientos e inobedientes. Pidió que los armase caballeros de espuela dorada, y una cruz roja, diferente de la de Calatrava, para que fuesen francos y ennoblecidos. Diéronle, a costa del Rey, en Sevilla, navíos y matalotaje y lo que más quiso, y *fue a Cumaná el año 20 con obra de trescientos labradores que llevaban cruces*, y llegó al tiempo que Gonçalo de Ocampo hacía a Toledo.

Sin haber conocido personalmente los hechos, el mismo cronista dirá luego, para completar su relación:

Burlaba (el capitán Ocampo) mucho del clérigo, que lo conocía de allá de la Vega por ciertas cosas pasadas, y sabía quién era; burlaba eso mesmo de los nuevos caballeros y de sus cruces, como San Benitos [87].

Lo que nos interesa en esta secuencia de textos no es precisamente el obvio *crescendo* de la tensión polémica que había suscitado aquel asunto. En la valoración crítica de las relaciones ofrecidas, lo que se destaca cada vez con mayor claridad es el ejercicio paradójico y singularmente literario a que se sometían aquellas narraciones históricas. Se verá que, al contraponer sucesivamente los textos, se ha llevado a cabo una 'literaturización' gradual del discurso; discurso que asume en estos fragmentos los rasgos de la *amplificatio* satírica. Mediante esas reelaboraciones se expande, acaso sin pretenderlo, el sentido imaginativo de los textos.

Pero, si nos propusiéramos ahora seguir la pista a esos acontecimientos lascasianos, consecutivamente explotados por Oviedo y Gómara, comprobaríamos que las versiones elaboradas por esos dos cronistas alcanzan, en otros textos posteriores, mayor amplitud creativa. Basándose en el mismo

---

[87] *Historia general*, I, pág. 205.

episodio, el poeta Juan de Castellanos, en su conocida *Elegía de varones ilustres de Indias* (1589), reconstruye una vez más aquellos sucesos en que aparece, entre otros incidentes, la invocación imaginaria de Las Casas ante el rey. Según se verá, el tono de los versos oscila entre el respeto y la comicidad:

> Aquestos han de ser hombres casados,
> ayunos de guerreras competencias,
> y porque sean más reverenciados,
> honrallos heis con francas eminencias,
> y en alguna manera señalados
> por las exteriores apariencias,
> porque temores de otros se resfríen,
> y destos solamente se confíen.
> ...........................................................
> no poco huecos con el interese,
> por se considerar de cavadores,
> caballeros armados e ya hechos,
> con unas cruces rojas en los pechos [88].

La narración, enriquecida por el registro poético de Castellanos, sería parodiada, una vez más, por el discutido cronista Pedro Gutiérrez de Santa Clara en su *Historia de las guerras civiles del Perú* (1556?). Según los cotejos precisos a que somete estas obras el profesor Bataillon, el fragmento de Gutiérrez de Santa Clara no es más que una versión prosificada de las octavas de Castellanos; prosificación que conduce a un cuadro todavía más dilatado de aquellos episodios y que ahora el cronista matiza libremente con su imaginación. Reproduzco sólo unos fragmentos que nos revelan el ejercicio paródico que pretendo señalar.

---

[88] (Madrid: BAE, 1959), págs. 146-147.

> Y que los hombres que avía de llevar avían de ser casados, y que los avía de honrar con franquezas y señaladas mercedes, porque fuesen señalados, y que él mismo yría con ellos porque por esta vía le descargaría la conciencia.

En la misma página añade:

> De manera que su majestad le dio doscientos, aunque otros dicen que fueron cuatrocientos labradores, los cuales *todos fueron señalados con unas cruces* rojas en los pechos; y hordenados cavalleros conoscidos; a los cuales todos dio dineros y mucho matalotaje y navíos para proseguir su viaje, y assi luego se mostraron briosos y alentados, mostrándose caballerosos [89].

La parodia y aun el plagio a mansalva no es infrecuente en la historiografía. Pero no es eso lo que he querido subrayar en estos apuntes, sino más bien la ascendente relación imaginativa que desarrollan los textos de Gómara, Castellanos y Gutiérrez de Santa Clara en torno a un hecho histórico que se amplía en versiones consecutivas [90]. No estaría de más señalar que, si todos ellos se ocupan de los mismos sucesos, es porque a esos incidentes se les atribuía entonces una significación especial, y porque eran acontecimientos que fomentaron relatos y comentarios muy variados durante los años de la Conquista. Además, las acciones de Las Casas eran para muchos un motivo polémico, que a duras penas podían ignorar las relaciones históricas de aquellos tiempos.

----

[89] Citado por M. Bataillon, *Estudios*, pág. 172. El profesor Bataillon, en su afán por informar sobre la mala fe con que los hechos fueron descritos, comenta, además, otros textos.

[90] Esa parodia era favorecida por la tradición que autorizaba, desde la Edad Media, la utilización de otras relaciones (a veces extensamente) aunque sin declararlo.

LA PARADOJA CREATIVA EN LA
SISTEMATIZACIÓN DE LA HISTORIA

Lecturas de otra índole nos revelarán que la prosa historiográfica de los siglos XVI y XVII nos ha legado obras muy singulares, que hoy nos parecerían creaciones verdaderamente insólitas. Pero son, de cualquier modo, libros que han de explicarse, en parte, como resultados del contexto polémico y de fabulación que gestó el Descubrimiento y la Conquista. En todos los órdenes, una de las obras más sorprendentes es el *Antijovio* de Jiménez de Quesada. El conquistador concibe en los territorios salvajes de Nueva Granada un texto repleto de erudición y refinamiento, que le servirá para rechazar las observaciones enrevesadas que el conocido humanista italiano Paolo Giovio redactó en torno al reinado de Carlos V. El texto de Jiménez de Quesada es una elaboración filosófica y literaria, de sesgo neoplatónico, que contiene, entre muchas otras cosas, una apología sutil del pensamiento histórico de Petrarca. Pero en el *Antijovio* abundan también reflexiones muy escrupulosas sobre el acontecer histórico según éste fue concebido a partir del Descubrimiento[91]. En ese sentido, pues, la obra de Jiménez de Quesada trasciende ampliamente el escaso contenido teórico que podría imputárseles a muchas relaciones históricas de los siglos XVI y XVII.

En otro orden, lo que no se ha comprendido con la claridad necesaria es que ese sesgo creativo de la historiografía americana fue determinado en gran parte por consideraciones retóricas y ampliado, a su vez, por los preceptos detallados que elaboraron los primeros cronistas oficiales. Re-

---

[91] Frankl, *El Antijovio*, págs. 297-303.

sulta paradójico que las precisiones conceptuales —dictadas
para incrementar el rigor metodológico del historiador—
facilitaran la inclusión de lo legendario, la redacción paródica y otros testimonios que brotaron de manera intermitente en las relaciones de Indias [92].

A partir de la visita efectuada por Juan de Ovando al
Consejo Real y Supremo de las Indias (1569), se reproduje-
ron, de manera sucesiva, ordenanzas que prescribían en
detalle los procedimientos historiográficos que debían se-
guirse. En verdad, lo que se postula oficialmente es un registro más amplio de fuentes y una minuciosidad narrativa,
que era, después de todo, un quehacer muy afín a la vieja
y celosa tradición historiográfica castellana y aragonesa.
Desde la perspectiva que proponían entonces las nuevas ordenanzas, se favorecía una postura ecléctica, que daba cabida a todos los datos y sucesos imaginables. Sugeridas por
Ovando, se redactaron en 1571 ordenanzas para reglamentar
aún más las noticias que se darían sobre el Nuevo Mundo.
En ellas se proclama, entre otras cuestiones, la necesidad
de relatar todo lo que tuviere que ver con los asuntos

> de la tierra, como de la mar, *naturales y morales*, perpetuos
> y presentes y que por tiempo serán, sobre que puede caer
> gobernación o disposición de ley, y según la orden y forma del
> título de las prescripciones, haciéndolas executar continuamente
> con mucha diligencia y cuidado [93].

---

[92] Las formulaciones metodológicas autorizadas oficialmente se
producen cuando las revelaciones principales estaban hechas. Con
todo, ninguno de los cronistas del siglo XVII alcanzará la precisión o
la abundancia de noticias que logró Fernández de Oviedo o el mismo
padre Las Casas.

[93] Citado por Marcos Jiménez de Espada en «El código ovandino»,
*Revista Contemporánea*, LXXXI (1891), págs. 228-299. La cursiva es mía.

Pero, irónicamente, esas mismas preocupaciones estaban
ya indicadas, aunque de manera muy precoz, en la carta
que Colón escribía a los Reyes Católicos desde Barcelona
el 5 de noviembre de 1493. Aunque no es preciso insistir en
los pronunciamientos de historiógrafos oficiales, sí es útil
recordar, como dato sugestivo, que en el siglo XVII los cos-
mógrafos prominentes de la corona serían humanistas que
se interesaron por la creación literaria en sí, y en menor
grado por las investigaciones históricas; entre ellos, como
es sabido, destacaron Lupercio Leonardo de Argensola y
Antonio Solís [94]. Y no sería excesivo afirmar que las comentadas *Décadas* (1601) de Antonio de Herrera son, a la vez,
una meticulosa reelaboración creativa y el plagio audaz de
crónicas bien conocidas [95].

### LA CRÓNICA ANTE LAS CONCEPCIONES DE LA HISTORIA

La exploración esmerada de estos temas siempre demos-
trará que el espectáculo intelectual que ofrece la historiografía de Indias es de inmensa amplitud. Pero, si hemos de
valorarla correctamente, será imprescindible reflexionar
—por unos instantes— sobre lo que se entendía por 'historia' en los siglos XVI y XVII. Creo que, si no afrontamos
de alguna manera esos conceptos, no llegaremos a comprender los criterios que regían la crónica de Indias como tipología diferenciada de la narración histórica [96]. Ante la pre-
gunta: ¿qué se concebía por relación histórica?, los tratados

---

[94] De gran valor son los datos que sobre estas cuestiones y muchos otros temas ofrece Luis Arocena en su libro *Antonio de Solís
cronista indiano: Estudios sobre las formas historiográficas del barroco* (Buenos Aires, E. U. D. E. B. A., 1963), págs. 9-60.

[95] *Ibid.*, págs. 36 y sigs.

[96] Sobre ello hace observaciones valiosas E. Fueter en su obra
*Historiografía moderna* (Buenos Aires, Editorial Nova, 1953), 2 vols.

disponibles y sus comentaristas apenas explicitan los rudi-
mentos de la cuestión. En principio, quiero constatar que
el material teórico disponible es muy limitado. Además, en
aquellos tiempos, muchos confundían el panegírico y sus
tópicos formalizados con la reglamentación pragmática que
requerían los libros históricos. Luis Cabrera de Córdoba, en
su obra, por cierto tan reveladora, *De la historia para en-
tenderla y escribirla* (1611), apenas intenta una descripción
adecuada de los rasgos que predominan en la relación histórica. En el 'Tercer discurso', titulado «De las partes y definición de la historia», nos advierte el tratadista que la historia «propone especulación de las cosas», y que el historiador

> habrá de *argumentar sobre probables* en la diversidad de los
> hechos que le refieren, para sacar en limpio la *verdad de la*

---

Dice allí el historiador suizo: «Los descubrimientos y las conquistas
de América plantearon a la historiografía un problema enteramente
nuevo», y más adelante añade, refiriéndose a los cronistas de Indias:
«En lugar de recoger lugares comunes de la literatura clásica, los
historiadores procuran formar un juicio personal»; señala también
que «la preocupación por la enseñanza política (sintomática de la
historiografía humanista) dio paso al interés por la etnografía y la
historia de la civilización. Los cimientos de la historia fueron sacados
a la luz». Pero indica asimismo «que se destaca en esas relaciones
el 'amor a lo maravilloso' y 'una frívola curiosidad'». Los juicios de
Fueter, a veces tan certeros, contrastan con muchas opiniones desca-
belladas que recoge el historiador. Incorporó al pie de la letra
muchos prejuicios de Menéndez Pelayo sobre algunos cronistas. Dice,
por ejemplo, que «los historiadores del Nuevo Mundo son extraños
a todo interés especulativo como tal», págs. 320-321, aseveración que
me parece muy discutible y que no puede generalizarse. Lo lamentable es que esos juicios desatinados se hayan repetido tantas veces,
como si se tratara de verdades confirmadas. En un trabajo que en
breve daré a conocer, intento una caracterización de la crónica de
Indias como género historiográfico. En el mismo ensayo comento
otras observaciones de Fueter en torno a las relaciones históricas
del siglo XVI.

*fineza* que le refieren y establecer *lo que más verdadero y verosímil le pareciere. Vale más en estas cosas la relación* que la presencia [97].

Seguidamente, Cabrera citará a San Isidoro para exaltar la opinión del sabio, según la cual «historia significa ver». Ese y otros juicios similares se complementan con entelequias ciceronianas sobre el magisterio de la narración histórica, y se añaden casi siempre las conocidas distinciones aristotélicas en torno a la poesía y la historia [98]. Para el lector moderno, lo más desconcertante tal vez es que las distinciones imprecisas que proponían los tratadistas no se apoyaban en una nomenclatura someramente diferenciada. La lengua castellana no disponía, digamos como la inglesa, de un vocablo o de señales terminológicas que designaran las peculiaridades de la narración histórica propiamente dicha [99]. Pero debe reconocerse, al mismo tiempo, que algunas de esas insuficiencias fueron presentadas y hasta ligeramente enunciadas en obras capitales de la historiografía del Medioevo español [100].

[97] (Madrid, Instituto de Estudios Políticos, 1948), Discurso III, folio II. He consultado la edición original que posee la Universidad de Texas, en su Colección Iberoamericana de Austin.

[98] *Ibid.*, f. 11.

[99] Para un conocimiento directo de estas dificultades véase el prólogo de Luis Zapata a su *Carlo famoso* (Valencia, 1561), y T. G. Griffith, *Bandello's Fiction* (Oxford, Oxford University Press, 1955). El texto de Zapata, hoy poco asequible, lo comenta E. C. Riley, *Teoría de la novela en Cervantes* (Madrid, Ediciones Taurus, 1966), pág. 269. Al constatar las deficiencias de la reflexión sobre la naturaleza del conocimiento histórico, debe señalarse la obra, un tanto excepcional, de Fox Morcillo, autor que asimiló las formulaciones renacentistas sobre la historia y que, entre otras cosas, conoció el pensamiento teórico de L. Bruni y Lorenzo Valla. Su postura le llevó, sin embargo, a una predilección extrema por los modelos clásicos; predilección que, en la práctica, no compartían otros teóricos e historiadores, como J. L. Vives.

[100] Esas y otras cuestiones de igual interés se exponen en el co-

En las conceptualizaciones dispersas que manejó Cabrera —y que he citado— se observa ya el margen dilatado de ambigüedad en que se situaba la narración histórica. Ni siquiera las lecturas más exigentes nos permiten —en la práctica historiográfica— una diferenciación objetiva de «lo verdadero» y «lo verosímil», conceptos que tanto inquietaron a los comentaristas de los siglos XVI y XVII. Obsérvese que Cabrera de Córdoba, guiado por las directrices del pensamiento renacentista, destacará, sobre todo, la importancia que tiene en la narración histórica la facultad persuasiva del relator. «Vale más la relación que la presencia», nos dice sin vacilar [101].

A su vez, casi todas las obras autorizadas de la época señalan que la verosimilitud es un atributo del texto que radica en la calidad expresiva del mismo; sería también la virtud que posee toda narración cuidadosamente razonada, que a su vez se aparta de las ensoñaciones y fantasías desatinadas que había propagado el Medioevo. En otras palabras, el discurso era 'verosímil' si estaba sustentado por un desarrollo coherente y una secuencia de etapas que de algún modo lo justificarían. Se comprobará, de paso, que esa misma idea fue la que, al cabo de siglos, sirvió de base al maltrecho concepto del 'realismo' descriptivo, que con éxito desproporcionado propagó la historiografía y la prosa de ficción decimonónica [102].

En el siglo XVI y mucho después, gran parte de la historicidad del texto se fundamentaba, como bien ha demostrado

---

nocido estudio de F. López Estrada «La retórica en las *Generaciones y semblanzas* de Fernán Pérez de Guzmán», *Revista de Filología Española*, XXX (1946), págs. 310-352.

[101] Cabrera y Córdoba, folio 12.

[102] Las implicaciones de esa actitud ante el lenguaje las analiza con precisión ejemplar Fernando Lázaro Carreter en su libro *Estudios sobre poética* (Madrid, Ediciones Taurus, 1976), págs. 121-142.

Marcel Bataillon, en la formulación meticulosa y elocuente de lo 'probable'; será así, aun cuando el discurso integre episodios que corresponden a la fábula o a los sucesos más peregrinos [103]. La construcción organizada y sugestiva del *Orlando furioso*, o de la *Araucana* de Ercilla, confería a esas obras —según el criterio de la época— un grado admirable de verosimilitud, que se le negaría, por ejemplo, a la *Divina comedia* [104]. No es fácil, pues, discernir las coordenadas del pensamiento histórico en el siglo XVI, si observamos que los erasmistas, que tan duramente condenaron la novela caballeresca, celebrarían las fabulaciones extremas que contiene la *Historia etiópica de Teágenes y Cariclea*, obra que distinguían —según M. Bataillon— por su «*verosimilitud,*

---

[103] De ello se infiere que 'verosimilitud' es el rasgo distintivo de obras de creación en las que la secuencia episódica obedece a una causalidad nítidamente estructurada. O el relato en que se procura, según William Nelson, «evitar falsedades extremas, lo absurdo y otras inconsistencias», *Fact or Fiction*, pág. 50. La traducción es mía. En todo caso, la 'historicidad' de un texto se fundamenta, de acuerdo con el pensamiento renacentista, en la coherencia estructural y filosófica que la narración exhibe. Las distinciones a que se atiene la crítica literaria del Renacimiento se anuncian sistemáticamente en la conocida obra de Baxter Hataway *Marvels and Commonplaces: Renaissance Literary Criticism* (New York, Random House, 1968). Acaso la exposición más inteligente sobre esos conceptos se ofrece en la obra del profesor Alban Forcione *Cervantes, Aristotle and the Persiles* (Princeton, Princeton University Press, 1971).

[104] El sentido de lo verosímil en el discurso histórico o literario, según lo entendió el siglo XVI, se esclarece un tanto en las distinciones que formuló, entre otros, el Pinciano: «El objeto no es la mentira, que sería coincidir con la sofística, ni la historia, que sería tomar la materia al histórico; y no siendo historia, porque toca fábulas, ni mentira, porque toca historia, tiene por objeto el verosímil, *que todo lo abraza*». Alonso López Pinciano, *Philosophía antigua poética*, 2 vols. (Madrid, Consejo Superior de Investigaciones Científicas, 1953), página 220. La cursiva es mía.

verdad psicológica, ingeniosidad de composición, sustancia filosófica y respeto a la moral»[105].

Se da por descontado que el material teórico a nuestro alcance no propicia un deslinde efectivo de las categorías narrativas vigentes, y tampoco se precisa en toda ocasión qué sucesos había de transmitir la historia y cómo podían diferenciarse, en casos específicos, de los que nos comunicaría la ficción. En su base, esa imposibilidad fue suscitada por la fusión perpetua de tradiciones escriturales opuestas: es esa ficción conceptual la que, en general, determina el sentido conflictivo que tantas veces observamos en la prosa histórica del siglo XVI. De nuevo, fue Eric Auerbach quien recalcó el grado de autoridad formal y ética que imponía la tradición bíblica[106]. En las relaciones fundamentadas por el dogma —hagiográficas o históricas— se formulaban valores absolutos e irreprochables; pero, con todo, esa escritura, singularmente autorizada, no logró desplazar la relatividad que insinuaban las fabulaciones y todo el legado imaginario que nos había proporcionado la antigüedad pagana; relatividad que se expande cuando reconocemos que tanto los textos bíblicos como los paganos fueron susceptibles, en la Edad Media y el Renacimiento, de una interpretación ale-

---

[105] *Erasmo*, pág. 622. López Pinciano indica en otra parte que, en gran medida, la 'verosimilitud' lograda por Heliodoro radica en que hace referencia a figuras y hechos que no son verificables. *Ibid.*, vol. II, pág. 195. Todo lo cual implica, con gran claridad, que el discurso verosímil está modelado por las normas de un discurso que lo precede. O sea por un concepto de elocuencia y expresividad coherente, que remite a codificaciones retóricas y no a la realidad objetiva como tal. Es, pues, una formulación de segundo grado, que primordialmente designa un espacio escritural y no el entorno físico en sí. Ver T. Todorov, «Lo verosímil que no se podría evitar», en *Lo verosímil*, págs. 175-178.
[106] *Mimesis*, págs. 103-105.

górica muy similar [107]. Pero no son ésas, en todo caso, las únicas inconsistencias que ofuscan el pensamiento histórico en los siglos XVI y XVII.

Observaremos que también se abogaba por una imitación rigurosa de los modelos clásicos, mientras que en la práctica se mantenía una gran variedad de recursos y preceptos instaurados por las crónicas castellanas del Medioevo. De esa fusión surge el sentido de atemporalidad, el pragmatismo didáctico y las conceptualizaciones retóricas que coexisten de una manera precaria en sectores extensos de la historiografía indiana. Al considerar esos precedentes y la visión del pasado que había consolidado la antigüedad, E. B. Perry ha expuesto algunos conceptos que me parecen significativos y que debemos incorporar en nuestras reflexiones críticas. Sobre todo, porque las ideas resumidas a continuación también podrían documentarse en amplios sectores de la crónica medieval.

> Para las culturas de la antigüedad clásica —dice Perry— el mundo estaba configurado primordialmente por conceptos; pero eran, en todo caso, conceptos que debían aprovecharse —con un sentido muy pragmático— para la edificación moral y espiritual del hombre. No así los hechos o la realidad objetiva, como tal; se contemplaban como algo inferior y pasajero. ¿Qué valor moral podía encontrarse en la sencillez de un mero hecho? En ocasiones diversas de la historia, los antiguos —a la manera, digamos, de los anticuarios— meditaron sobre las épocas remotas para deslindar, de algún modo, lo probable de lo legendario. Pero ésa no fue, con toda seguridad, la forma en que aquellos hombres solían valorar el pasado; y esas pesquisas eran todavía menos rigurosas cuando se incorporaban

---

[107] Interesa subrayar que, aunque las relaciones hagiográficas se consideraban como material histórico en la Edad Media, los humanistas las verán como narración creativa, sólo que concebida con un propósito moralizante. Cabe preguntarse entonces qué las distingue de la ficción como tal que se ampara en un propósito edificante.

al quehacer literario. Ni el mismo Tucídides, con toda su seve-
ridad, cuestiona la existencia histórica de Deucalión o la obvia
condición legendaria de Helena. En efecto, desde la perspectiva
que proporcionaban las poéticas griegas ( y lo mismo podría
decirse del teatro y la novela) Ínaco, Jerges, Alcibíades, Nino
y Dafnis eran personajes que históricamente pertenecían a una
misma categoría [108].

No puede ocultarse que esa persistente concepción integradora, que absorbe lo mítico en la historia, es casi la
misma que glorifican los historiadores renacentistas con un
servilismo que habrá de caracterizarles. También en la crónica de Indias, el historiador podía, como sus modelos
clásicos, desplegar la imaginación al configurar las circunstancias de mundos desconocidos. En su análisis de lo que
constituía una verdad histórica para el hombre renacentista,
William Nelson dice, y con razón: «Nada es más riesgoso,
al estudiar la literatura de un pasado remoto, que distinguir
lo imaginario de lo verídico» [109]. Al examinar, por ejemplo,
las noticias que Geoffrey de Mommouth ofrece sobre los
reyes de Inglaterra, apenas se distingue el dato de la alusión
humorística y satírica. Y es indudablemente así, porque el
relator empleaba las señales de un código identificable en
su medio cultural, que permitía al lector las matizaciones
oportunas, pero que hoy no siempre reconoceríamos [110].

De una manera muy explícita y con una visión casi enci-
clopédica de aquellas incertidumbres ante el pasado, Cer-

---

108 *The Ancient Romances* (Berkeley, University of California Press,
1967), págs. 77-78. Pero ese punto de vista también lo mantuvo la historiografía, con intensidad descendente, hasta el siglo XVIII. La traducción es mía.

109 *Fact or Fiction*, pág. 29. La traducción es mía.

110 Ver: «El increíble historiador Geoffrey de Mammouth» y «Designios de la historia de los reyes de Bretaña» en la obra de Carlos
García Gual *Primeras novelas europeas* (Madrid, Ediciones Istmo,
1974), págs. 131-134 y 140-143.

vantes hará que don Quijote aleccione al canónigo de Toledo, diciéndole que «tanto la mentira es mejor cuanto más parece verdadera», o cuando añade:

> Hanse de casar las fábulas mentirosas, con el entendimiento de los que las leyeren, escribiéndose de suerte que facilitando los imposibles, allanando las grandezas, suspendiendo los ánimos, suspendan, alborocen y entretengan de modo que anden a un mismo paso la admiración y la alegría juntas; y todas estas cosas no podrá hacer el que huyere de la verosimilitud y de la imitación, en quien consiste la perfección de lo que se escribe [111].

A pesar del empirismo que suele asignársele a la historiografía renacentista —a partir de Guicciardini y Maquiavelo—, pocos eran, según se ha visto, los que distinguían el pasado imaginario del verificable. Alexio Venegas lo comentaba con frases rotundas: «Como (la gente) no sepa distinguir lo aparente de lo verdadero, piensa que cualquier libro impreso tiene autoridad para que le crean lo que dijere» [112]. No es necesario, con toda seguridad, llevar estas indagaciones hasta sus últimas consecuencias para comprobar el margen de ambigüedad teórica que a menudo se infiltra en esquemas de la crónica. Por esa razón, entre otras, creo que sería ingenuo exigirles a aquellos textos rigores que la historiografía de los siglos XVI y XVII concebían de otro modo. En definitiva, lo que hoy me parece admirable en esos libros es la riqueza de noticias, ordenadas según los cánones de la época, y también el severo análisis crítico a que someten sus materiales y textos Las Casas, Oviedo, Acosta o el mismo Inca Garcilaso.

---

[111] Cito por la edición de Francisco Rodríguez Marín (Madrid, Clásicos Castellanos, 1964) (I, cap. 47).
[112] Citado por E. C. Biley en *La teoría*, pág. 263.

APUNTES SOBRE EL CONTEXTO RETÓRICO DEL DISCURSO
EN LA HISTORIOGRAFÍA DE LOS SIGLOS XVI Y XVII

Al concluir estas notas preliminares, haré notar con toda brevedad otros referentes que han contribuido en más de un sentido a la riqueza expresiva de la historiografía indiana. Aunque son escasos los trabajos que iluminan las relaciones textuales que señalaré [113], sabemos, en términos generales, que las obras de muchos cronistas se inspiran, a distancia, en el discurso que había inaugurado la historiografía del humanismo italiano. Sobre todo en el siglo XVI se admiraron los textos deslumbrantes de Petrarca, Leonardo Bruni, Lorenzo Valla y Guicciardini; en ellos se revelaba una brillante perspectiva retórica del pasado, que no podía ser ignorada [114]. Con la mirada puesta en los modelos greco-

---

[113] Excepcional en muchos órdenes es la obra reciente del profesor Ottavio di Camilo *El humanismo castellano del siglo XV* (Valencia, Fernando Torres, 1976). Las investigaciones resumidas en este libro muestran, por ejemplo, la repercusión que tuvieron en España muchas de las ideas de L. Valla y L. Bruni, por citar sólo dos figuras cumbres de la historiografía humanista.

[114] Dos obras admirables lo comprueban, aunque desde puntos de vista diferentes: Felix Gilbert, en su *Machiavelli and Guicciardini: Politics and History in Sixteenth-Century Florence* (Princeton, Princeton University Press, 1965) expone, a través de un análisis minucioso de textos primordiales, la metodología que inauguran los historiadores renacentistas. Y, al caracterizar los procedimientos de esa historiografía, el profesor Gilbert afirma lo siguiente: «Las investigaciones históricas de los humanistas eran parte integral de un vasto *corpus* de obras destinadas a salvar para la posteridad los hechos del pasado. Para el humanista, la historia era, pues, un género literario, pero que incorporaba objetivos muy diversos», pág. 226. La traducción es mía. Por su parte, la profesora Nancy S. Struever, en su libro *The Meaning of History in the Renaissance* (Princeton, Princeton University Press, 1970), expresa en términos aún más categóricos la orientación retórica y eminentemente creativa de la historiografía humanista. «Si la elo-

romanos, los historiadores italianos condenaron la pobreza expositiva y el hermetismo escolástico de las crónicas medievales. Gradualmente, las relaciones escuetas del Medioevo fueron suplantadas por una estructura narrativa en la que el discurso se eleva reiteradamente por encima del nivel denotativo; era, en efecto, un ejercicio que la retórica había consumado laboriosamente en la figura sutil de la *supraveritatem*.

Identificamos, pues, en la historiografía renacentista italiana un enunciado que amplía considerablemente la latitud semántica de la exposición informativa; se exaltó, a partir de entonces, un concepto de la elocuencia que verá el discurso en función de su expresividad. Ése es el concepto de la narrativa histórica que Petrarca y Boccaccio admiran, por ejemplo, en los *Anales* de Tito Livio, y que les induce, de otra manera, a la biografía idealizada en los célebres *Viri Illustres* del primero y en *De claris Mulieribus* del segundo; resulta claro que aquéllas fueron relaciones elaboradas no sólo para informar, sino más bien para llegar a una construcción refinada de los valores culturales que redescubría y proclamaba la sensibilidad renacentista. Así, en las obras de historiadores prestigiosos, se había conseguido una escritura animada por el espíritu laico y por una sensibilidad descriptiva que en España fue apreciada por

---

cuencia era, en efecto, una preocupación central para el historiador humanista, su propósito sería, desde luego, demostrar que las conceptualizaciones retóricas eran base primordial de su labor. La retórica, como tal, determinaba entonces los aspectos más eficaces y laboriosos de la pesquisa. En un sentido más concreto, las preocupaciones retóricas se percibían —en el pensamiento histórico de los humanistas— como un impulso innovador que, lejos de obstruir, liberaba y esclarecía la percepción del pasado que exaltaba el humanismo historicista», pág. 63. La traducción es mía. Ver también Mayron P. Gilmore, «The Renaissance Conception of the Lesson of History», en *Facets of the Renaissance* (New York, Harper & Row, 1959), págs. 73-102.

muchos, pero que los historiadores peninsulares imitarían con visible mesura. El esquema idealizado de la biografía (tómese como ejemplo la de Dante escrita por Boccaccio) no pertenece a la labor historiográfica propiamente dicha; pero, aun así, aquellas obras ingeniosas trazaban una pauta de redacción que sería piedra angular en la obra de Bruni, Francesco Poggio Bracciolini y en las obras de sus sucesores.

Es obvio que los textos a que he aludido estrenaban, en la cultura europea, una práctica escritural de amplio contenido imaginativo; fueron primordialmente obras trabajadas a partir de artificiosas concepciones filológicas de la historia. En adelante, la organización del conocimiento histórico estaría cimentada por nuevas y complejas modalidades retóricas y por la incorporación de fuentes, entonces muy novedosas. Esa toma de posición ante el texto, que tan brevemente he resumido, está luminosamente explicitada en el rico pensamiento teórico de Lorenzo Valla. No sólo concebía él la historia como materia ejemplar, sino que además la caracteriza como parte integral de la *ars oratoria*. Entre otras aclaraciones, Valla afirma, por ejemplo, que

> el discurso histórico exhibe la mayor riqueza, contiene un valioso sentido práctico y no poca sabiduría política; se relatan en la historia los hábitos del hombre, y al hacerlo se facilita un conocimiento más amplio (*doctrinae sapientiae plena*) que el que ofrecen los preceptos de un tratado filosófico [115].

De ese modo, la investigación histórica se desarrolló como un quehacer pragmático, pero que irónicamente se fundamentaba en la conceptualización retórica y en formulaciones

---

[115] Citado por Donald R. Kelley en *Fundations of Modern Historical Scholarship: Language, Law and History in the Renaissance* (New York, Columbia University Press, 1970), pág. 20. La traducción es mía.

historiosóficas de notable amplitud. El aprovechamiento de
fuentes inusitadas (numismática, arqueología, historia política
y económica) establecía para el hombre moderno el
criterio interdisciplinario en la historia; criterio que a la
postre sería articulado brillantemente por Jean Bodin en su
innovador *Methodus ad facilem historiarum cognitionem*
(1566); libro ejemplar en muchos sentidos y en el que se
propone otra visión de la labor historiográfica. Sus premisas
hacen hincapié en la consulta sistemática del material bibliográfico
y proponen el estudio minucioso de la geografía,
principalmente en la etapa hermenéutica de la investigación.
Pienso que los brillantes estudios del historiador francés
F. Braudel señalan hoy la vigencia y el sentido casi profético
que tendrían algunos aspectos del pensamiento histórico de
Bodin.

Se deduce, pues, que en el siglo XVI eran otros los horizontes
y metas del historiador. La sensibilidad histórica del
Renacimiento ya no contemplaría el texto como un simple
vehículo informativo o didáctico, sino más bien como un
sistema coherente de relaciones y de hecho como un objeto
válido en sí mismo que se ordenaba, en parte, para otorgar
a la narración una obvia calidad literaria.

Al configurarse de ese modo, la narrativa histórica favorecía,
con toda claridad, un sistema de expresión que
apenas podría deslindarse de la materia ficcionalizada, como
tal. Ese hecho explica, en cierta forma, la inmensa significación
literaria que asume la historiografía del humanismo
italiano, hecho que se verifica, a simple vista, en toda la
teoría literaria del Renacimiento. Repárese, por ejemplo,
que, en su penetrante análisis de la historiografía florentina,
Félix Gilbert, al examinar gran variedad de textos y la correspondencia
que mantuvieron, entre otros, Pontano y
Rucellai, describe así la postura mimética que asumía el

historiador: «Los humanistas creían que el historiador debía
atenerse a las mismas normas que regían la creación literaria: o sea la imitación creativa» [116].

A pesar de todo su rigor, la gran *Historia florentina*
(1404-1439) de Leonardo Bruni es quizá una de las obras
que, en la práctica, mejor resume esa concepción filológica
y mimética del discurso histórico que he destacado. La visible teatralidad que enmarca los sucesos más importantes y
la supresión cuidadosa de incidentes ingratos verifican, en
la relación de Bruni, el anhelo por conseguir un texto for-
malmente equilibrado, en el que resaltan, sobre todo, la
elocuencia y la elegancia expositiva. No se extralimita Fueter, pues, al subrayar que «lo que podría perturbar el efecto
estético, Bruni lo cambió o lo pasa completamente en silencio». Creo que la adopción parcial de esa postura selectiva,
tantas veces señalada en la obra de Bruni, reaparece, por
cierto —aunque con otras variantes muy singularizadas—,
en los *Comentarios reales* del Inca Garcilaso [117].

La importancia y extensión de los juicios que se emiten
en la historiografía humanista sobre las figuras *energeia*,
*illustratio* y *stratagemata*, entre otras, delatan el empeño

---

116 *Machiavelli and Guicciardini*, pág. 208. El concepto de 'imitación' en el pensamiento historicista del Renacimiento provocó deslindes y polémicas que, en Italia sobre todo, alcanzaron un fervor inusitado. Gian Francesco Pico della Mirandola concebía como una imposibilidad el afán de Bembo y otros que intentaban recoger en el esquema de los textos clásicos las circunstancias ya muy disímiles del
hombre y la sociedad renacentista. Como era inevitable, ese empeci-
namiento obligó a una reelaboración creativa de los antiguos modelos
y al formulismo exquisito que practicaron Valla y sucesores tales
como Pandolfo Collenuccio. Historiador, este último, que admiraron
el Inca Garcilaso y otros humanistas cordobeses del siglo XVI.
117 Ver: José Durand, «Los silencios del Inca Garcilaso», *Mundo
Nuevo*, V (1966), págs. 57-72. Sobre esa actitud de Bruni conviene
leer la *Historia* de Fueter, I, pág. 32.

casi obsesivo del historiador por conferir rango artístico a la narración. Considerados sus precedentes, el empleo integral de esas figuras se remonta por ejemplo a formulaciones ciceronianas que tan fielmente observaron los humanistas. Se recordará, por ejemplo, que, para Cicerón, *narratio* asumía como tipologías equivalentes *fabula, argumentum* e *historia* [118].

La *Elegantia latinae linguae* (1471) de Lorenzo Valla y, en menor grado, *De interpretatione recta* de Leonardo Bruni [119], obviamente trascienden esos postulados ciceronianos sobre el discurso y llegan a plantear una relación directa entre la configuración formal de la obra y la realidad descrita. Lo que se infiere repetidamente es que la narración histórica fue concebida, desde entonces, como un esquema que reflejaba, en su organización total, los rasgos distintivos del proceso histórico en cuestión [120]. Ésa es, en mi opinión, una de las conceptualizaciones más audaces que explicita la historiografía humanista. De otro modo, la elaboración simbólica del discurso a que me he referido podría ilustrarse a través de los recursos que desarrolló la pintura italiana del *Quattrocento*. Repárese que, en general, los grandes lien-

---

[118] *De inventione* (I, 27 sigs.). Ver también las observaciones de William Nelson, págs. 1-36. Las distinciones hechas por Cicerón y Salutati, que he indicado, las comenta parcialmente R. Ingarden en su estudio «A Marginal Commentary on Aristoteles Poetica», *Journal of Aesthetics and Art Criticism*, XX (1961-1962), págs. 273-285.

[119] El significado de ese importante texto ha sido estudiado por la profesora Struever, *The Meaning*, pág. 69.

[120] Ese concepto, tan importante para la historiografía humanista, lo resume así la profesora Struever: «Si cada oración constituía, en efecto, una ilustración de las relaciones sintácticas, también podía argumentarse que toda oración concebida a partir de principios retóricos era, como tal, una representación deliberada de las relaciones que —en un plano más amplio— existen entre el relator y protagonista, así como entre el lector y su entorno», *ibid.*, pág. 81. La traducción es mía.

zos renacentistas cultivan un sentido narrativo del asunto tratado, y, a su vez, en las telas y frescos se insinúan nuevos planos, que integran, en una concepción formal y unificada con el material anecdótico, los personajes y un entorno cada vez más diversificado [121].

Más que una descripción de textos ya bien conocidos, lo que pretendo recalcar en estos apuntes finales es el grado de abstracción formalista —la espacialidad, por decirlo así— que gradualmente desarrolla el discurso de la historia en el Renacimiento. Con la historiografía humanista, el enunciado expositivo de muchos textos se transforma en una espléndida creación, que ha de ser contemplada como tal. Desde esa actitud se postula tácitamente que la historicidad de la narración ha de ser proporcional a su elocuencia y al refinamiento compositivo de la misma [122]. Se deduce, por igual, que la revelación del pasado ha de ser percibida simultáneamente a dos niveles: en el *corpus* documental y en la organización expresiva del discurso. Ocurre, sin embargo, que para el análisis que intenta el lector contemporáneo esa dualidad testimonial provoca, en la obra, una suerte de desdoblamiento interior, al quedar contrapuestos en igualdad de condiciones el dato y la imagen ilusoria. A la par de estos comentarios, quisiera indicar también que la proyección

---

[121] Sobre esta reestructuración de los componentes de la creación artística en las artes plasticas, véase J. R. Spencer, «Ut rhetorica pictura: A Study in Quattrocento Theory of Painting», *Journal of World History*, XX (1957), págs. 26-44.

[122] Esa proyección interiorizada del discurso corresponde, según las certeras apreciaciones de Eric Kahler, entre otros, a la liberación del pensamiento creador en la literatura renacentista: liberación que motiva una búsqueda de lo universal en la experiencia personalizada. Claro que esto fue posible en la medida en que el hombre pudo deshacerse de los atavismos y limitaciones que le imponía el sistema cultural vigente en su medio. Véase *The inward Turn of Narrative* (Princeton, Princeton University Press, 1973), págs. 1-66.

interiorizada que progresivamente muestra el discurso expositivo a partir del Renacimiento es la que determinará, en parte, ese ascendente signo literario de la escritura que reconocemos hoy en las relaciones históricas de Bruni y Valla, entre muchos otros [123].

Sin practicar la exquisitez formal y la afectación estilística desplegada por Bruni y Valla, muchos cronistas de América ampliaron el registro de sus narraciones al aproximarse a los modelos italianos. En la historiografía del Nuevo Mundo se desarrolló, espléndidamente, la pesquisa filológica y el anhelo por lograr un embellecimiento sobrio de la materia narrativa; rasgos que se confirman no sólo en los textos, sino además en las opiniones emitidas por figuras cimeras de la historiografía española del siglo XVI. Ambrosio Morales, que en alguna ocasión fuera mecenas del Inca Garcilaso, recalcó, como historiador, su preocupación estilística en el *Discurso de la lengua castellana* (1586) y también en *Las antigüedades de las ciudades de España* (1575?). En esta última el historiador cordobés sustenta que la exposición refinada y elegante debe ser atributo inherente a la relación histórica, e invoca, a la manera de Bodin y los teóricos italianos, la legítima utilización de fuentes literarias y el estudio pertinaz de las instituciones, la actividad económica y la topografía [124].

Sin exagerar esas tendencias, la misma defensa que hace de la lengua castellana Fernández de Oviedo nos remite a todo un proceso de cuestionamiento lingüístico que, como bien sabemos, era parte de su entorno cultural. Por razones análogas, también lo haría Fray Pedro Malón de Chaide y,

[123] Interesan las aclaraciones de Kahler en este sentido. *Ibid.*, página 62.

[124] Ver: Eugenio Asensio, «Dos cartas del Inca Garcilaso», *Nueva Revista de Filología Hispánica*, VII (1949), págs. 590-591.

en Italia, Sperone Speroni, entre otros [125]. Aun en las relaciones pormenorizadas que construyó Oviedo, se destaca una creciente sensibilidad filológica y literaria, fortalecida, tal vez, por sus amplios contactos con las obras de Petrarca, Bruni, Nebrija, Pedro Mexía y otros que cita más de una vez [126]. Su escritura implica tácitamente —según señalé antes— una nueva postura ante el enunciado histórico: eran inquietudes favorecidas a un mismo tiempo por las corrientes intelectuales de la época y por las exigencias que planteaba una realidad histórica sin precedentes. El desconcierto de Fernández de Oviedo ante la insuficiencia de sus propias palabras acaso evoca, para el lector contemporáneo, la expresión angustiada que en términos similares manifestarían siglos después los escritores románticos.

> ¿Cuál ingenio mortal —dice Oviedo— sabrá comprehender tanta diversidad de lenguas, de hábitos e de costumbres en los hombres destas Indias? Tanta variedad de animales, así domésticos como salvajes e fieros. Tanta multitud inarrable de árboles copiosos de diversos géneros de fructas, y otros estériles, assí de aquellos que los indios cultivan, como de los que la natura de su propio oficio produce, sin ayuda de manos mortales.

Interesan, además, estas aclaraciones suyas:

> No fueran celebrados en tanta manera los que he dicho por los poetas e historiadores antiguos, si supieran de Massaya y Maribio, y Guaxocingo, e los que adelante serán memorados desta pluma, o escriptor vuestro [127].

---

125 Frankl comenta extensamente el tema (*El Antijovio*, pág. 113).

126 Confiesa Oviedo: «Discurrí por toda Italia, donde me di todo lo que yo pude a saber leer y entender la lengua toscana, y buscando libros en ella, de los cuales tengo algunos que ha más de cincuenta y cinco años que están en mi compañía, deseando por su medio no perder de todo punto mi tiempo». Esa cita en particular la comenta Ramón Iglesia en *Cronistas e historiadores*, pág. 133.

127 B. E. A., Libro I, pág. 32.

Sin desechar, en manera alguna, la fundamentación teológica y espiritualista que pervive en la *Historia natural y moral de las Indias* del padre Acosta, su célebre texto contiene una apreciación de la circunstancia americana que nos sorprende por la audacia y lucidez de sus razonamientos seculares [128]; apoyándose en su capacidad de análisis y también en lecturas copiosas, Acosta cuestiona, desde el primer capítulo de su relación, y con toda delicadeza, viejas nociones aristotélicas y platónicas, repetidas a lo largo de siglos. En realidad, sus textos —como los de Oviedo— ponen en tela de juicio la naturaleza misma del discurso que formulan. Quizá el primero en advertirlo, aunque de manera muy general, fue Edmundo O'Gorman. «Acosta —dice el historiador mexicano— da repetidas muestras de un anhelo de renovación cultural» [129]. Ocurre, además, que la escritura robusta del jesuita se plegará también ante el impulso creativo. Pero, aunque sus mecanismos expositivos son renacentistas, el registro de sus temas con frecuencia será fiel a los postulados de la historiografía medieval y la patrística; es ése su doblez conceptual que permanecerá como fórmula expositiva en las crónicas americanas durante siglos [130].

Al esbozar aquí la riqueza imaginativa de nuestra historiografía americana, forzosamente tendremos que evocar *La invención de Indias* (1528) de Pérez de Oliva. En sus textos reconocemos —en todos los órdenes— una escritura ejemplar: es un discurso de extraordinaria belleza, simultáneamente pensado en función del valor literario y del testi-

---

[128] Cap. 20, pág. 54.
[129] *Ibid.*, Prólogo, pág. XXV.
[130] Acosta, no obstante, dirá: «Basta, pues, saber que, en las Divinas Escrituras, no hemos de seguir la letra que mata, sino el espíritu que da vida, como dice San Pablo», *ibid.*, cap. IV, pág. 23.

monio documental [131]. Pero, en lo que se refiere a la intencionalidad artística en la historia, a mi juicio, el ejemplo óptimo de esa práctica se consagró en la *Florida y los Comentarios reales* del Inca Garcilaso de la Vega [132]. Hemos de verificarlo con algún detenimiento en el capítulo siguiente.

Incluso un repaso veloz de los libros que he mencionado nos demuestra que, en el siglo XVII, la reputación y validez de la crónica se apoyará, cada vez más, en el brillo intelectual de la escritura o en la ingeniosidad expositiva del cronista. Ésa es con toda seguridad la razón de que las relaciones elaboradas por los cronistas virreinales se consideren hoy como hitos de nuestra tradición literaria. La *Historia de la conquista de México* de Solís, a que ya me he referido, fue trabajada en todos sus aspectos como una formulación literaria del conocimiento histórico; es la narración que concibió laboriosamente un fino poeta cortesano. No han exagerado, pues, los que ven en ella «una realización ejemplar de la prosa castellana» [133]. Sin apartarse de la fundamentación teológica que perduraba en la historiografía de Indias, Solís construyó un discurso histórico que asume con toda sutileza los cánones literarios de su época.

> No cabe duda —dice Luis Arocena en un estudio ejemplar— de que Solís llegó a concebir el asunto de su historia como el de un gran drama heroico, en cuyo desarrollo y exposición se cumplían, en cierto modo, las tres unidades clásicas de lugar, tiempo y acción [134].

---

[131] Véase el estudio de José J. Arrom que precede a su edición del texto de Pérez de Oliva (Bogotá, Instituto Caro y Cuervo, 1965).

[132] Aspectos muy sugestivos de la obra del Inca se tratan en el libro de Aurelio Miró Quesada *El Inca Garcilaso y otros estudios garcilasistas* (Madrid, Instituto de Cultura Hispánica, 1971), págs. 379-406.

[133] Arocena, *Antonio Solís,* pág. 7.

[134] *Ibid.,* pág. 31.

En el barroco propiamente dicho, la narración histórica
se volcará sobre sí misma; eran ya textos antológicos, en
los que el pasado se contemplaba desde el ámbito apacible
de la erudicción y la vida conventual. La crónica adoptaba
otra normatividad; el texto en sí sufría mutaciones progre-
sivas, que gradualmente desplazarían el logocentrismo uni-
tario heredado de la historiografía medieval. Serán libros
abiertos, en los que el enunciado se duplica una y otra vez,
para abarcar un espacio semántico mucho más extenso. En
torno a 1627, el franciscano Pedro Simón daba a conocer,
desde el Nuevo Reino de Granada, su *Primera parte de las
noticias historiales de las conquistas de Tierra Firme en las
Indias Occidentales*. Y, al meditar sobre las premisas que
sostienen su relación, Simón demuestra —acaso sin quererlo— el margen de libertad expositiva que conquistaban
las relaciones históricas: «La historia —según su opinión—,
para serlo verdadera y propia, no ha de ser de cosas naturales, sino contingentes, que, pudiendo y no pudiendo su-
ceder, sucedieron» [135]. Algunos años más tarde, y en el mismo
reino, un escritor perspicaz e ingenioso, Juan Rodríguez
Freyle, preparaba una crónica de sucesos pintorescos, que
retomaría muchos pormenores narrados en la historia del
padre Simón.

No habría que escudriñar un *corpus* de obras demasiado
extenso para comprobar la ascendente riqueza imaginativa
de los textos que señalo. Lo verificaríamos, por ejemplo, en
las crónicas conventuales que acumuló en Lima la Orden de
San Agustín y que fueron publicadas hacia 1653 [136]. En ellas

---

[135] Citado por J. A. Maravall en *Estudios de historia del pensamiento español* (Madrid, Instituto de Cultura Hispánica), pág. 340.
[136] Me refiero a la *Crónica moralizada del Orden de San Agustín
en el Perú, con sucesos ejemplares en esta monarquía* (Barcelona, 1638).
Sobre Calancha escribió una explícita semblanza fray Bernardo de
Torres; obra que tituló *Razón de la obra y vida del autor*.

los frailes Antonio de la Calancha y Bernardo de Torres nos legaron complejos relatos que evocan, según varios especialistas, los procedimientos refinados de textos cervantinos [137]. Es cierto que, en un sentido global, la crónica tardía relató el vaivén y los asuntos pasajeros de la vida americana, pero lo más significativo, quizá, es que en ese anecdotario se descubren ya, aunque ocultas tras el candor de posturas litigantes, nuevas etapas de la actividad literaria; ésos son rasgos del discurso que sobresalen en narraciones derivadas, por lo menos en parte, de la crónica histórica, como lo es, por ejemplo, *El lazarillo de ciegos caminantes* (1773). Hablamos aquí, pues, de libros primordiales para la cultura americana, y de libros en los que se objetivaban formas autóctonas y sincréticas de convivencia social, que siglos después serían caprichosamente reconstruidas por la literatura decimonónica y posterior.

SINGULARIDAD DE LA ESCRITURA AMERICANA, AL
SER CONTEMPLADA DESDE UNA LECTURA GLOBAL

Creo que el material y los comentarios que he resumido hasta aquí permiten varias conclusiones significativas. Acaso la más obvia es que, en América, la escritura ha retenido un singular anhelo de revelación, que inauguraron los primeros textos del Descubrimiento y la Conquista [138]. Hemos reconocido, a la vez, el impulso infatigable de una búsqueda que en sus estadios iniciales quiso confirmar, en tierras americanas, los mitos y creencias de la Antigüedad. Y esto es

---

[137] Ver: José J. Arrom, «A contrafuerza de sangre o un caso ejemplar del Perú Virreinal», que en breve publicará la *Kentucky Romance Quarterly*.

[138] Ver: Elliot, *El Viejo Mundo*, págs. 9-41.

aún más significativo cuando observamos que ese mismo
afán se aplicará repetidamente a la definición del hecho
cultural americano. Podría decirse sin exageración alguna
que, desde los descubrimientos, hemos sentido la necesidad
apremiante de explicarnos ante el resto del mundo, como
si América tuviera que justificar a cada paso su propia
existencia. En parte ha sido así porque el pensamiento
europeo —que siempre nos ha proporcionado la medida de
lo válido— por lo general ha contemplado la cultura americana como un hecho multiforme, marginal y a veces inco-
herente. Acaso para contrarrestar esa perspectiva fragmen-
taria de nuestra historia, hemos oscilado entre la imitación
europeizante y nociones desorbitadas de la originalidad.

Pensándolo todo con la serenidad requerida, estimo que
los diversos aspectos creativos de la historiografía americana (la materia paródica, interpolaciones legendarias, cuentos, etc.) encierran un testimonio cultural de amplia significación. Soslayar ese material equivaldría, sin más, a la re-
futación ligera e innecesaria de nuestras primeras interpretaciones imaginativas; los textos que he señalado son, casi
siempre, espacios reducidos, pero que con frecuencia desvelan una compleja realidad histórica y social, que permanece vigente en muchos órdenes. Al dejarnos seducir por
las garantías que ofrece la tarea empírica, hemos olvidado,
con sorprendente facilidad, que el sedimento cultural que
nos sostiene e identifica admitió siempre el quehacer plu-
ralizado de la fantasía. Pero no basta con la verificación
generalizada de ese hecho. En los textos comprobaremos
reiteradamente ese esfuerzo primario de intelección creativa
que hoy debe verse como fundamento de la escritura americana; en ella se consolidó, según se ha visto, la inscripción
progresiva de nuevos elementos y formas en el esquema de
la cultura hispánica. En el siglo XVI existe ya otra «escri-

tura», pensando el término, una vez más, según las formulaciones conceptuales de Jacques Derrida [139]. O sea, escritura como un espacio que trasciende las modalidades convencionales de la palabra escrita para dar lugar a la inserción ideográfica y a las innumerables variantes de la reflexión y de la creatividad; variantes que de por sí desbordan, en todos los planos, la *episteme* escritural. Lo admirable es, sin embargo, que ese proceso de expansión, que instituye una nueva «escritura», fue intuido, en varios órdenes, por los historiadores que dieron a conocer el mundo americano.

Así, las crónicas establecen una vasta potenciación expresiva de la historia; con ellas se introduce un nuevo y más amplio registro de signos y valores, sólo que para verificarlo, también es necesaria la reconstrucción y el análisis del contexto expresivo que respalda a la escritura. En lo que se refiere concretamente a los pasajes creativos de las relaciones históricas, urge reconocer, por ejemplo, que el mensaje que transmite el acto literario no es exclusivamente una operación lingüística; es, además, la transmisión de un amplio inventario de factores que provienen de códigos y actividades muy diversas, creadas por el hombre; códigos que remiten, por ejemplo, a la tradición oral o a formas muy complejas del saber letrado. Pero la dificultad estriba en que ese acto de transmisión es profundamente selectivo, y apunta —y siempre es así en el discurso literario— hacia un nivel de la realidad que trasciende lo cotidiano y la verificación objetiva de los hechos. Los esquemas escriturales que supone la creación literaria nos hacen conscientes de sistemas idealizados, que tal vez no percibiríamos en el contexto socio-económico, pero que influyen —a veces de manera

---

[139] El concepto de «escritura» a que me refiero y que aclaré en el prólogo lo explicita Derrida en su obra *De la gramatología* (Buenos Aires, Siglo XXI Editores, 1971), págs. 14-15.

muy sutil— sobre la trayectoria evolutiva de la sociedad en cuestión. El texto del Inca Garcilaso que veremos a continuación se expone concretamente como una creación que ilustra lo que acabo de señalar [140].

De hecho, pienso que un análisis global de nuestro proceso histórico no logrará resultados satisfactorios si marginamos indefinidamente esas revelaciones que en nuestra historiografía aportan los textos de creación; pero lo que sugiero, en todo caso, es la adquisición de un conocimiento que debe ser objetivado en la composición misma de los libros y en las correspondencias que esas obras han mantenido con el entorno cultural que en parte las motivó. Se requiere, por tanto, una valoración bastante más amplia, y que debe adentrarse sin reparos en la praxis literaria, ya que esta última encubre —en todas sus formas— un ritmo de pensamiento y una ordenación de valores que figuran como estratos básicos del contexto histórico. Todos sabemos que la tarea que he propuesto brevemente en este capítulo no es sencilla, pero la necesidad de afrontarla ya no parece discutible.

---

[140] Para una mejor comprensión de los aspectos teóricos que fundamentan una lectura de esa índole, deben consultarse los ensayos ejemplares de Paolo A. Cherchi «Tradition and Topoi in Medieval Literature», *Critical Inquiry*, págs. 281-296, y Cesare Segre, «Narrative Structures and Literary History», que aparece en el mismo tomo, páginas 271-280. Muy sugestivo es también el ensayo de Albert W. Levi «*De Interpretatione*: Cognition and Context in the History of Ideas», *Critical Inquiry*, vol. 3, núm. 1 (1976), págs. 153-178.

CAPÍTULO II

## LAS AMPLIFICACIONES IMAGINATIVAS EN LA CRÓNICA
## Y UN TEXTO DEL INCA GARCILASO

Si algo celebran todos los que han conocido las obras del Inca Garcilaso (1539-1616), es la profundidad y elegancia serena de su escritura[1]. Es fácil admirarle, porque sus

---

[1] El historiador inglés Harold V. Livermore hace la siguiente observación sobre la obra del Inca: «Ciertamente las otras lenguas en las que se narran el Descubrimiento y Conquista de América —Portugués, Francés e Inglés— no han producido una figura que pueda ser rival del Inca Garcilaso. Y si bien es cierto que hay otros relatores que le preceden, también es evidente que ninguno de ellos puede figurar, como el Inca, en el glorioso escenario de las letras españolas». La traducción es mía. *The Royal Commentaries of Peru and the General History of Peru* (Austin, Texas University Press, 1966), 2 vols., página XV. Pero mucho más agudos y explícitos son los juicios que emite Julio Ortega en un admirable trabajo sobre el Inca. «Los *Comentarios reales* —dice— son la primera formalización de una *escritura crítica* americana. Y esta elaboración es fundadora del mismo *discurso cultural nuestro*. El discurso como producción del sentido, y en primer lugar como producción de sí mismo, es connatural a la práctica de esta escritura; cuya *persona discursiva* y cuyo modelo textual son un signo característico de las transformaciones y producciones de la cultura americana». Y en otra parte añade: «Quizá este incario sea la primera razón del sueño americano, porque es una razón que en el discurso pretende que la realidad recomience en el lenguaje. Lo cual produce en la actualidad de la escritura un texto

páginas desatan los hilos embrollados de la crónica para hablarnos en términos sencillos pero de intensa expresividad. Además, ninguna relación histórica nos ha dicho tanto como la suya sobre el doloroso mestizaje cultural que fraguó la Conquista. Añadiría, incluso, que leer sus libros equivale a escuchar la voz del primer gran narrador hispanoamericano, con todo lo que esa aseveración implica[2]. Pero no siempre se le ha juzgado equitativamente. Suele repetirse, por ejemplo, que sus obras son creaciones informadas por la cultura renacentista. Eso es honrosamente cierto, pero no es toda la verdad. También habría que decir que la escritura de Garcilaso corresponde a un pensamiento y una sensibilidad que siempre estuvieron centrados en la realidad conflictiva del mundo americano[3].

---

virtual, un orden proyectivo que cede al porvenir la realización del pasado. Así agudiza en la escritura la actualidad productiva del sentido. Y, desde ella, se configura el discurso de una cultura nuestra, el texto que la elabora y la origina», *Prismal*, I (1977), págs. 1 y 14.

[2] En la disposición de sus libros se ensayan casi todas las posibilidades del relato imaginativo conocidas en tiempo del Inca. Además, sus relaciones son una indagación apasionada que siempre rescata el dato de su penuria. Pero, por sobre todas las cosas, los *Comentarios* son la representación, a gran escala, de todo un proceso cultural que está centrado en vivencias universales; por esa razón, entre otras, el pasado que nos relata mantiene su vigencia.

[3] No hay que escrutar su obra para advertirlo. Se desvive por comunicarlo. «Pero pasó todo tan diferente, como sus mismas historias las de los españoles lo cuentan, a que me remito, que a mí no me es lícito decirlo: *dirán que por ser indio hablo apasionadamente*» (I, V, cap. XXI). Cito por las *Obras Completas* editadas por el P. Carmelo Sanz de Santa María (Madrid, B. A. E., 1965), 4 vols. Para beneficio de los que manejan otra edición indico, sucesivamente, primera o segunda parte, libro y capítulo. La historiografía moderna designa la segunda parte como *Historia general del Perú*. Esa denominación es ajena, sin embargo, a la concepción original de Garcilaso, ya que él se refiere exclusivamente a la primera o segunda parte de sus *Comentarios*. De aquí en adelante la cursiva en las citas siempre es mía.

Sucede, pues, que, a pesar de la importancia que revisten las obras del Inca, pocos han comprendido la inmensa riqueza que hay en ellas [4]. Pienso que ha sido así porque tanto los libros como el hombre son casos insólitos en la cultura del mundo occidental [5]. Al tomar conciencia de ese hecho, lo primero que nos revelan sus páginas es el angustiado enlace de horizontes culturales irreconciliables; y ésa es, acaso, la razón de que sus textos resulten esquivos y desprovitos de las analogías y correlaciones que sistemáticamente ha procurado la historiografía empírica. Pero no basta con repetir el obvio sentido conflictivo de su obra. A los efectos de una aproximación valorativa, interesa mucho más corroborar que los libros de Garcilaso inauguran otra manera de ver y sen-

---

[4] Hay notables excepciones. Son valiosas, entre otras, las obras siguientes: Raúl Porras Barrenechea, *El Inca Garcilaso de la Vega* (Lima, San Marcos, 1946); Aurelio Miró Quesada, *El Inca Garcilaso y otros estudios garcilasistas* (Madrid, Cultura Hispánica, 1971). A José Durand se deben algunas de las páginas más sugestivas escritas sobre la obra del Inca: varios de esos ensayos se han recogido en su libro *El Inca Garcilaso: clásico de América* (México, Sep-setentas, 1976). Véase además el estudio de Alberto Escobar «Lenguaje e historia en los *Comentarios reales*», en *Patio de letras* (Lima, Ediciones Caballo de Troya, 1965), págs. 11-40, y el admirable trabajo de Juan Bautista Avalle-Arce, que sirve de prólogo a su antología *El Inca Garcilaso en sus Comentarios* (Madrid, Editorial Gredos, 1964), págs. 9-33.

[5] Con sobrada razón, Arturo Uslar Pietri ha dicho: «No hay el equivalente de un Inca en la América Anglo-Sajona. No se creó un barroco africano o asiático como legado del encuentro con los europeos». Y en otra parte comenta: «En 1609 aparece en Lisboa uno de los libros más extraños de su tiempo. Se llamaba los *Comentarios reales* y estaba firmado por Garcilaso de la Vega, Inca. Contaba la fabulosa historia de un inmenso y exótico imperio del todavía mal conocido continente. Lo había escrito un hombre menudo, fino y de extraña fisonomía, que era sacerdote católico, que había sido capitán de la infantería española y que era descendiente directo de los reyes Incas. Escribía en la España de Felipe III, pero había nacido en el remoto Cuzco, al día siguiente de la conquista de Pizarro». *La otra América* (Madrid, Alianza Editorial, 1974), págs. 15 y 21. Ver, además, su espléndido ensayo «La casa del Inca», págs. 115-117.

tir la historia americana; ésa es en sí una proyección muy significativa, pero que ignoran los que habitualmente se han limitado a la corteza de sus relaciones. Insisto, por ello, en la necesidad de que veamos las narraciones históricas del Inca como un extraordinario esfuerzo de intelección creativa y como discurso que accede a niveles muy variados de la realidad histórica.

# I

Hoy sabemos que el Inca Garcilaso no sólo escribió sus libros en España, sino que además los preparó en medio de circunstancias azarosas. Pero, aunque así fue, su labor había comenzado en épocas muy anteriores. Ya en el Cuzco remoto de sus años infantiles, Garcilaso atesoraba conocimientos de un pasado maravilloso e inconmensurable. Datos y confesiones dispersos en su obra nos indican que, desde su niñez, el Inca se sintió deslumbrado por el encanto de las cosas viejas y olvidadas; y, según él cuenta, muchas veces escuchó, conmovido, las narraciones legendarias que le transmitían sus parientes maternos y los viejos *amautas* incaicos. Luego, como sus antepasados, el joven mestizo también aprendería a descifrar los *quipus* con maestría ejemplar [6]. Desde entonces, llevado casi siempre por una

---

[6] Léase el fascinante recuento que de esos años hace John Greir Verner en su libro *El Inca: The Life and Times of Garcilaso de la Vega* (Austin, University of Texas Press, 1608). Dice allí, por ejemplo: «And sometime somewhere, in those years, the indians disclosed to this small mestizo the secret of pursuing and unravelling that strange tangle of multihued and knotted cords. The *quipu* by which, from ancient times, the Incas had guarded accounts of their arms, their laws, their populations, and all concrete things», pág. 99. Años más tarde, el capitán Garcilaso se aprovecharía de esos conocimientos adquiridos por el chico, y le concedería la función de su secretario amanuense en la administración de sus bienes.

incontenible necesidad de saber, Garcilaso fue sedimentando en su memoria portentosa un sin fin de informaciones sobre la compleja historia del Perú. «En ese tiempo —dice al recordar sus años en el Cuzco— tuve noticias de todo lo que vamos escribiendo, porque en mis niñeces, me contaban sus historias, como se cuentan fábulas a los niños» (I, I, cap. XIX).

Presentimos en seguida que esas palabras encierran algo más que la simple evocación nostálgica de un pasado feliz. Lo que Garcilaso comprendió —auxiliado por su intuición y abundantes lecturas— es que en el mito y la leyenda subyacen vivencias colectivas y conceptos de la sabiduría que pueden tener sentido histórico. Sus propias confesiones lo dan a entender con toda claridad.

> Iremos con atención de decir las hazañas más historiales, dejando otras muchas por impertinentes y prolijas...

Y luego añade con visible empeño:

> Y aunque algunas cosas de las dichas y otras que se dirán parezcan fabulosas, me pareció no dejar de escribirlas por no quitar *los fundamentos sobre que los indios se fundan para las cosas mayores que de su imperio cuentan* (I, I, Cap. XIX) [7].

---

[7] Véase el cuidado y erudición con que el Inca matiza sus formulaciones: «Y de esta manera son todas las historias de aquella antigüedad; y no hay que espantarnos de que gente que no tuvo letras con que conservar la memoria de sus antiguallas, trate de aquellos principios tan confusamente; pues los de la gentilidad del mundo viejo, con tener letras y ser tan curiosos en ella, inventaron fábulas tan dignas de risa, y más que estotras; pues una de ellas es la de Pirra y Deucalión, y otras que pudiéramos traer a cuenta, y también se pueden cotejar las de la una gentilidad con las de la otra, que en muchos pedazos se remedan, y asimismo tienen algo semejante a la historia de Noé, como algunos españoles han querido decir, según veremos luego. *Lo que yo siento de este origen de los Incas diré al fin*» (I, I, cap. XVIII).

Sospecho que esa redundancia insertada en el penúltimo renglón de la cita se produce con toda intención. Lo creo así porque, más de una vez, elaboraciones de esa índole responden a una mesurada pero sagaz intención afirmativa. Éste, entre muchos, es uno de los detalles que nos revelan al escritor siempre alerta ante la conceptualización y los resortes del lenguaje como tal. Con esa actitud vigilante, Garcilaso, al constatar el sentido testimonial de la experiencia imaginativa, se cuidará de hacerlo con todas las precauciones necesarias [8]. Experto como era en la labor historiográfica, el Inca parece intuir las objeciones que podía motivar la interpolación de lo legendario en una crónica histórica, y por eso se apresura a decirnos:

> Porque, en fin, de estos principios fabulosos procedieron las grandezas que en realidad posee España; por lo cual se me permitirá decir lo que conviene para la mejor noticia que se pueda dar de los principios, medios y fines de aquella monarquía, que yo protesto decir llanamente la relación *que mamé en la leche...* (I, I, Cap. XIX).

Esas observaciones aluden, a su vez, a un proyecto obsesivo que Garcilaso expone desde ángulos muy diferentes a

---

[8] En un estudio de gran calidad indica Eugenio Asensio que el Inca «cree, como Bodin, que la mitología no es un tejido de vanas fábulas, aunque rechaza la desaforada asimilación de mitos peruanos con creencias cristianas practicadas por ciertos españoles». Y agrega que «Nutrido en tales precursores, Garcilaso corría riesgo de resbalar hacia el idilio político y el poema genealógico. Las fuentes utilizadas con preferencia, recuerdos de infancia dorados por la lejanía; el tema, la glorificación de la patria mezclada con la del propio linaje; la educación anterior, predominantemente literaria; todo le empujaba a un tipo de narración que en mito e historia se funden en el crisol de la memoria. Un poema medra fácilmente en suelo tan propicio, pero no la historia, hija de la verdad. A veces no sabe sortear el peligro, y su endiosamiento de los abuelos los convierte en arquetipos de sabiduría y bondad humanados», «Dos cartas del Inca Garcilaso», *Nueva Revista de Filología Hispánica*, VII (1949), págs. 590-591.

lo largo de su obra: me refiero a la equiparación, en casi todos los órdenes, de las culturas que él representó. Conviene señalar, no obstante, que esa fijación conceptual que he apuntado no siempre enturbia la facultad crítica que el Inca despliega en su análisis del proceso histórico y de los materiales que utiliza. Pero, si más de una vez no se ha reconocido su excepcional aptitud para objetivar el pasado, es quizá debido a ese intenso cariz emotivo que exhibe buena parte de su escritura.

Lo que se destaca, cada vez con mayor firmeza, es que no podremos valorar las relaciones históricas del Inca como si estuviésemos ante una crónica más. Sería justo afirmar que para Fernández de Oviedo y Cieza de León, por ejemplo, la narración histórica fue una labor ardua y a veces desconcertante. Para Garcilaso, en cambio, escribir sobre el pasado era, ante todo, un acto de afirmación personal; más aún, era dotar a su vida de una indispensable solvencia histórica. Desprovisto como estaba de una identidad cultural precisa, el Inca también relató los hechos de la historia para consolidar desde ellos una imagen digna de su persona.

Considero que esa manera de enfrentarse al texto determinará la singular ambivalencia que a menudo transmiten las palabras de Garcilaso. Sabemos muy bien que la *Florida* (1605) y los *Comentarios reales* (1609-1616) fueron redactados desde esa incertidumbre íntimamente padecida [9]; incertidumbre que, en sí, explica la tirantez y la necesaria voluntad de creación que manifiestan sus textos; pero, paradójicamente, es esa dimensión esquiva y secreta de sus palabras la que apenas hemos reconocido.

---

[9] Un detalle que alude a su incertidumbre es que, al llegar a España, cambiará su nombre. En América fue Gómez Suárez de Figueroa, pero en España se dará a conocer como el Inca Garcilaso de la Vega. Ver John Varner, págs. 44-45, 225-226.

## II

En su vejez, al mismo tiempo que escudriñaba los grue-
sos libros que se habían escrito sobre América, Garcilaso
fue excavando en su memoria la historia milenaria del Perú.
Sin poderlo evitar, sus relaciones se enfrentan a las que
habían preparado los españoles, y en algunos casos rechaza
violentamente noticias que denigraban la civilización incaica
o la misma reputación de su padre, el capitán Garcilaso de
la Vega [10]. Pero, por encima de esas y otras refutaciones, el
Inca supo de antemano que el valor documental de sus
libros radicaría en el testimonio singular que él podía ofrecer. Es por eso por lo que Garcilaso insiste tantas veces en
demostrar sus conocimientos precisos del quechua y el
contacto privilegiado que tuvo con los aspectos más íntimos
de la cultura incaica. Será esa urgencia interior la que tantas
veces vuelque sus emociones sobre el texto.

> Me pareció —dice el Inca— que la mejor traza, y el camino
> más fácil y llano, era contar lo que en mis niñeces oí muchas
> veces a mi madre y a sus hermanos y tíos, y a otros sus ma-
> yores, acerca de este origen y principio; porque todo lo que
> por otra parte se dice de él viene a reducirse en lo mismo que
> nosotros diremos, *y será mejor que se sepa por las propias
> palabras que los Incas cuentan, que no por la de otros autores
> extraños* (I, I, Cap. XV).

Al leerle con atención, veremos que siempre, más allá del
propósito documental, se percibe el afán de Garcilaso por
ordenar el proceso histórico del Perú a partir de sus circunstancias personales. Incluso en el fragmento que examino
en este capítulo, resaltará más de una vez esa inserción

---

[10] Ver II, V, caps. XXI y XXIX, y II, VII, caps. I y XXIV.

punzante de su persona en el discurso de la historia. Recordaremos, claro está, que otros cronistas también narraron desde una postura directa y vigorosa. Pero, en contraste, por ejemplo, con Bernal Díaz, lo que intenta Garcilaso no es la mera reiteración de su autoridad como testigo presencial; su narración expone, además, su crisis individual y, por extensión, la del mestizo americano. Así, sus vivencias y su propia introspección cultural se convertirán poco a poco en una realidad historiable. Y, a manera de corolario, agregaría que él terminó por contemplar su vida como el hecho que resumía, en términos humanos e históricos, la empresa española en América [11].

Lo que he señalado implica, por necesidad, que la *Florida* y, sobre todo, los *Comentarios* son en buena medida una configuración metafórica de su persona. No es siempre posible escindir al hombre del texto, o viceversa. En sí, esa realidad hace inevitable la coordenada autobiográfica que predomina en los *Comentarios*. Pero insisto en que ese hecho, al parecer tan simple, en realidad no lo es. Sus libros, que en un principio parecieron relaciones históricas de causalidad lineal, ahora tendremos que contemplarlos como una escritura que asume una proyección reflexiva e imaginaria, determinada por el imperativo autobiográfico. Creo que en algunas ocasiones, y sobre todo en los *Comentarios*, ese sesgo íntimo de su relación nos sorprenderá. Refiriéndose, por ejemplo, al posible origen de sus antepasados peruanos, Garcilaso admite con toda franqueza que sus sentimientos

---

[11] Sabiéndose hijo ilegítimo de india y español, Garcilaso intentará en su *Relación de la descendencia* de Garcí Pérez de Vargas (1596) esclarecer su linaje hispano, mientras que en los *Comentarios* postulará un concepto de valor humano que se apoya en las virtudes y los logros del individuo, y no exclusivamente en la legitimidad. Ésa es la postura desde la que Garcilaso exalta la dignidad del mestizo americano.

—«lo que yo siento», decía él— también serán fuente primordial de su información.

Desde esa actitud individualizada, enriquecida por el pensamiento neoplatónico, Garcilaso nos entrega una sutil visión ecléctica de la historia [12]. El enlace refinado de premisas históricas que verifican sus textos es, en verdad, un despliegue sutil de su facultad imaginativa y de su vasta erudición [13]. No sólo es el texto un acto de creación, sino que también lo es el marco conceptual que exhiben los *Comentarios*. En más de un sentido, es comprensible que el Inca procediera de ese modo. Por su reconocida vocación literaria y sus dotes de narrador, confió siempre en el poder revelador de la imaginación. Lo confirman explícitamente sus obras, y también sus juicios sobre la naturaleza misma del conocimiento histórico [14].

Para entender plenamente lo que acabo de afirmar es preciso reconocer que Garcilaso inició su quehacer intelectual en los libros de creación; fue en la literatura, no en la historia, donde descubrió su vocación de escritor. Y no debe asombrarnos que la narrativa fabulada retornara a su memoria para condicionar el gran proyecto historiográfico de

---

[12] Su perspectiva histórica retiene la visión providencial que consolidó el Medioevo y que Garcilaso conoció en la historiografía castellana. Pero sobre esa base redactará obras que a su vez siguen los preceptos retóricos e interdisciplinarios de la historiografía humanista. Además es obvio también que su visión del pasado se afinca en la vasta tradición oral de los incas.

[13] Para una visión más completa de su ingeniosidad véase José Durand, «Concepción histórica y concepción literaria», en *El Inca*, páginas 79-84, y mi artículo «Los *Comentarios reales* y la historicidad de lo imaginario», que en breve publicará la *Revista Iberoamericana*. Debe consultarse también *Nuevos estudios sobre el Inca Garcilaso de la Vega* (Lima, Instituto de Estudios Histórico-militares del Perú, 1955). En este libro se reúnen varias ponencias que tratan la idea de la historia que se formó Garcilaso.

[14] Ver A. Miró Quesada, págs. 333-338.

su vida; observemos que, al evocar el pasado incaico, más de una vez se entretejen en su memoria ecos de la narrativa caballeresca.

> Este nombre *huaracu* —comenta Garcilaso— es de la lengua general del Perú; suena tanto como en castellano *armar caballero;* porque era dar insignias de varón a los mozos de la sangre real, y habilitarlos, así para ir a la guerra como para tomar estado. Sin las cuales insignias no eran capaces ni para lo uno ni para lo otro, que como dicen los *libros de caballería eran donceles que no podían vestir armas* (I, VI, Cap. XXIV).

Son los recuerdos de esas lecturas los que en otra parte de ese capítulo motivan descripciones como éstas:

> Sin estas armas los examinaban de todas las demás que ellos usaban en la guerra para ver la destreza que en ellas tenían. Hacíanles velar a veces diez o doce noches, puestos como centinelas para experimentar si eran hombres que resistían la fuerza del sueño.

En otros pasajes de sus *Comentarios,* al relatar las aventuras catastróficas que emprendieron los españoles en Chile, el Inca transfiere los hechos a episodios en los que de nuevo se parodia el lenguaje heroico de la ficción caballeresca (I, VII, cap. XXIII) [15]. También en ocasiones, quizá de mayor sencillez, su texto emprende la reelaboración de mitos y sucesos que él recordó o que le habían contado viajeros procedentes de América [16]. Podríamos elegir, entre muchos,

---

[15] Leemos, por ejemplo: «Los españoles salieron a la grita de los indios hermosamente armados, con grandes penachos en sus cabezas y las de sus caballos, y con muchos pretales de cascabeles, y cuando vieron los escuadrones divididos, tuvieron en menos los enemigos, por parecerles que más fácilmente romperían muchos pequeños escuadrones que uno muy grande».

[16] Ver Varner, págs. 147 y 352. Se explica allí la forma en que el Inca acumuló gran parte de su información.

el cuento mordaz que el Inca aloja en el capítulo titulado
«De la hortaliza y yerbas, y de la grandeza de ellas» (I, IX,
cap. XXIX). Se trata de un relato laboriosamente trabajado,
que nos lleva a una tensa pero sutil confrontación de los
valores culturales que confluían en su persona [17].


III


Aunque en su vejez Garcilaso rechazará abiertamente las
obras de ficción, estimo que se mantuvo atento a casi todo
lo que se escribía en España y fuera de ella [18]. Aspectos diversos de su obra parecen confirmarlo. Además, hoy sabemos que hasta el final de sus días conservó algunos libros
de ficción [19]. Pero es, en última instancia, su discurso el que
nos revela un espontáneo afán de creación verbal. Para
verificarlo sobre el texto he seleccionado un relato que hoy
designamos como «La venganza de Aguirre» y que el Inca

---

[17] El profesor J. J. Arrom, con otras miras, nos ofrece un agudo
análisis de ese mismo texto. Ver «Hombre y mundo en dos cuentos
del Inca Garcilaso», en *Certidumbre de América* (Madrid, Editorial
Gredos, 1971), págs. 27-53. Consúltese también mi ensayo «Variantes y
funciones de la narración intercalada en los *Comentarios reales* del
Inca Garcilaso», que en breve se publicará en los *Anales de la literatura hispanoamericana*.

[18] Ver Miró Quesada, págs. 165-223; Varner, págs. 350-351. Sabido
es que Garcilaso expresó —como eco de una gran polémica literaria—
su predilección por el verso castellano de tipo tradicional. Ese y otros
juicios e inclinaciones del Inca los comenta A. Miró Quesada, pág. 132.

[19] Casi todo lo que sabemos sobre sus lecturas se reveló en el conocido artículo de José Durand «La biblioteca del Inca», *Nueva Revista de Filología Hispánica*, II, 3 (1948), págs. 239-264. Interesan, además, las notas complementarias que ofrecen Bruno Migliorini y Guilio
C. Olski, «Sobre la biblioteca del Inca», *NRFH*, III, 2 (1949), págs. 166-
170. Véase, también, Miró Quesada, págs. 471-477.

incluyó en el sexto libro (caps. XVII y XVIII) de la *Historia general del Perú*[20].

Allí, aprovechando un recurso habitual en sus narraciones, Garcilaso evoca un incidente histórico, en sí de poca importancia, pero que servirá como emplazamiento cronológico y punto de partida al relato que ahora desarrolla. El esbozo de aquellos acontecimientos se realiza con la sencillez que distingue su prosa:

> En ese tiempo entró en el Perú, por visorrey, el gobernador y capitán general de todo aquel imperio, don Antonio de Mendoza, hijo segundo de la casa del marqués de Mondéjar, y conde de Tendilla, que como en la *Florida* del Inca, dijimos, era visorrey en el imperio de México.

Para realzar un tanto aquellos hechos, Garcilaso añade que la Ciudad de los Reyes [Lima] «le recibió con toda solemnidad y fiestas». Veremos que esas aclaraciones se extienden de inmediato a la tradicional *amplificatio* historiográfica que sirve al Inca para enumerar las virtudes del gobernante. Pero súbitamente —como en otros fragmentos— Garcilaso abandona la enumeración tradicional para situar su persona en el marco de lo que allí ocurre. Comenta el Inca: «Llevó [el virrey] consigo a su hijo don Francisco de Mendoza, que después fue generalísimo de las galeras de España, *y yo lo vi allá y acá*». Reiteradamente el curso de aquellos sucesos gravitará hacia la evocación personal del pasado. A la vez, sin que nos percatemos de ello, la relación, de trazos amplios, genera un contexto más impreciso. De pronto se traen a cuenta rumores y detalles curiosos que entonces se propagaban en torno al virrey. Llega a efectuarse, de ese

---

[20] Luis Loayza coteja este relato con la tradición de Ricardo de Palma, «Las orejas del alcalde». Ver «Dos versiones de una venganza», *Creación y crítica*, II, 2 (1971), págs. 8-10.

modo, una transición en que el discurso se afirma tanto en las noticias como en las impresiones y el decir de la gente.

> El visorrey —nos explica Garcilaso— llegó al Perú muy alcanzado de salud, *según decían*, por la mucha penitencia y abstinencia que tenía y hacía, tanto que vino a faltarle el calor natural; de manera que así por calentarse y recrearse como por hacer ejercicio violento en que pudiese cobrar algún calor, con ser aquella región tan caliente, como lo hemos dicho, se salía después de mediodía al campo a matar por aquellos arenales algún mochuelo o cualquier otra ave que los halconcillos de aquella tierra pudiesen matar.

Son informaciones que ahora dan lugar a una visión reposada de los hechos; quedan centralizadas en el discurso las formas del imperfecto de indicativo y del subjuntivo, tiempos que dilatan suavemente el curso fluido de la narración. Y en ese párrafo, con los halcones de casa (el arte de la cetrería), se introduce un motivo de leve resonancia literaria. Sin forzar, en modo alguno, el ritmo descriptivo, el virrey pasa a ser una figura enigmática, lastimada y cada vez más distante. La presencia del anciano queda supeditada a la imagen de su hijo, que ahora emprende viajes oficiales a «las ciudades que hay de los Reyes en adelante». Es su trayectoria la que rastrea la narración del Inca, porque las andanzas del joven culminará en tierras del Cuzco, escenario que de golpe trae a la memoria de Garcilaso todo un mundo de recuerdos y hechos legendarios.

Pero también será puesta en un plano secundario la ruta del viajero oficial; el discurso expositivo se aminora entonces para dar lugar a escenas fastuosas, que por sus fórmulas descriptivas nos hacen pensar de nuevo en la novela de caballerías. Es otra ahora la gradación del lenguaje; pero más importante aún es que ese pasaje de temple imaginativo posibilita, por su naturaleza, lo excepcional o inesperado. El discurso cede ante una expansión connotativa que nos invita a contemplar los hechos y no el mero registro de los mismos. Así el acontecimiento histórico va encontrando un signo adicional y de mayor riqueza, que se fundamenta en la expresividad ascendente de la narración. Lo que he apuntado se destaca, sobre todo, al llegar el joven Mendoza a Cuzco.

> Don Francisco fue a su visita *y yo le vi* en el Cozco, donde se le hizo un solemne recibimiento con muchos arcos triunfales y muchas danzas a pie y gran fiesta de caballeros que por sus cuadrillas iban corriendo delante de él por las calles hasta la iglesia mayor y de allí hasta su posada. Pasados ocho días le hicieron una fiesta de toros y juegos de cañas, las más solemnes que antes ni después en aquella ciudad se han hecho, porque las libreas todas fueron de terciopelo de diversos colores y muchas de ellas bordadas. *Acuérdome de la de mi padre y sus compañeros,* que fue de terciopelo negro, y por toda la marlota y capellar llevaban a trechos dos columnas bordadas de terciopelo amarillo junta la una de la otra espacio de un palmo y un lazo que las asía ambas con un letrero que decía «Plus ultra» y encima de las columnas iba una corona imperial del mismo terciopelo amarillo y lo uno y lo otro perfilado con un cordón hecho de oro hilado y seda azul que parecía muy bien. Otras libreas hubo muy ricas y costosas que no me acuerdo bien de ellas para *pintarlas* y de ésta *sí porque se hizo en casa.*

Lo que persigue el relator en esos pasajes es la elaboración refinada del texto. Al describir las figuras de los conquistadores que encabezan las cuadrillas, Garcilaso se detiene en la contemplación minuciosa que evoca «las borduras de diversos follajes de terciopelo carmesí y de blanco». Son imágenes sugestivas, que en un plano ascendente serán complementadas por las referencias a los «turbantes», las «pedrerías de esmeraldas y otras piedras finas». Observemos una vez más que en estos fragmentos se lleva a cabo la reconstrucción imaginativa de sucesos que el Inca nunca pudo olvidar. Recuperar aquellas visiones es ahora motivo de orgullo y acaso la única posibilidad del retorno que nunca logró. Diría también que el desfile está narrado desde los ojos azorados del niño que años atrás había contemplado aquellos espectáculos grandiosos. «Don Francisco de Mendoza —dice el Inca— las vio desde el corredorcillo de la casa de mi padre, *donde yo vi su persona*» [21].

De esa manera, datos que hoy serían residuos de la historia, quedan permanentemente revitalizados por la evocación creativa. Sin que pueda evitarse, en la consecución de ese proceso se ha reducido el plano informativo del discurso. Cada vez más, la amplificación imaginativa del lenguaje impone al texto un nivel de funciones analógicas que verificaremos en la interdependencia de las palabras; es ese tipo de elaboración la que gradualmente sustrae valor al sentido denotativo, que prevalecía al iniciarse el capítulo. Por su hechura sabemos ya que la narración ha tomado otro rumbo.

Se observa, por ejemplo, la ambigüedad creciente que envuelve a los personajes y a casi todo el espacio en que se sitúan. La identidad definida será sustituida por alusiones a «un fulano», y a otro que «se decía Esquivel». Esa variación y la textura misma del discurso verifican un cambio significativo en la postura del narrador. En grado ascendente se amplía la posibilidad de lo ficticio, al quedar postergado el discurso lineal y meramente expositivo de la historia. De modo casi imperceptible, el enunciado toma posesión de un espacio imaginario que viene a ser eje de todo lo que allí se narra. Así, finalmente, queda cosumada en un relato la tentativa de creación que se había insinuado en las primeras etapas de este capítulo.

---

[21] Interesan las noticias que John Varner ofrece en su excelente estudio sobre esos mismos incidentes, págs. 112-113.

Llegado [su hijo] a la ciudad de los Reyes, el visorrey su padre lo despachó a España con sus pinturas y relaciones. Salió de los Reyes, según el Palentino [22], por mayo de quinientos y cincuenta y dos [*sic*] *donde le dejaremos por decir un caso* particular que en aquel mismo tiempo sucedió en el Cozco siendo corregidor Alonso Alvarado, mariscal que por ser juez tan vigilante y riguroso se tuvo el hecho por más belicoso y atrevido. Y fue que cuatro años antes saliendo de Potocsí [*sic*] una gran banda de más de doscientos soldados para el reino de Tucma, que los españoles llaman Tucumán, habiendo salido de la villa los más de ellos con indios cargados, aunque las provisiones de los oidores lo prohibían, un alcalde mayor de la justicia que gobernaba aquella villa, que se decía el licenciado Esquivel, que yo conocí, salía a ver los soldados como iban por sus cuadrillas, y habiéndolos dejado pasar todos con indios cargados, echó mano y prendió al último de ellos que se decía fulano Aguirre porque llevaba dos indios cargados y pocos días después lo sentenció a doscientos azotes, porque no tenía oro ni plata para pagar la pena de la provisión a los que cargaban indios.

Valiéndose de un recurso frecuente en la prosa novelada, el relator comprime la materia del relato al omitir una explicación histórica de los antecedentes que provocaron la saña del alcalde. Pero si se aplaza el rigor documental es porque la narración queda subordinada a un núcleo de ficción que aglutina todos los factores del texto. Libre de las exigencias prácticas que impone la documentación histórica, Garcilaso se entrega gustosamente a la elaboración de la circunstancia que le estimula y que ahora evoca.

---

[22] Garcilaso censura, por muy buenas razones, al Palentino, cronista que se prestó más de una vez a confusiones y que supo acomodar los datos según las conveniencias. Garcilaso casi siempre le cita para rebatir sus opiniones. Consúltense específicamente: II, V, caps. XXI y XXIX, y las aclaraciones de Varner, pág. 221.

El soldado Aguirre —explica Garcilaso—, habiéndole notificado la sentencia, buscó padrinos para que no se ejecutase, mas no aprovechó nada con el alcalde. Viendo esto Aguirre le envió a suplicar que en lugar de los azotes lo ahorcase, que aunque él era hijodalgo no quería gozar de su privilegio, que le hacía saber que era hermano de un hombre que en su tierra era señor de vasallos.

La intervención reiterada de personas influyentes que pretenden evitar el castigo propicia una demora que agudiza la tensión del incidente. Se crea, con esas gestiones, un paréntesis moroso que facilita la dramatización del conflicto. Unos y otros, desde ángulos diferentes, se afirman en su individualidad y se logra así una perspectiva indirecta, pero sugestiva, de personajes transformados por la imaginación del escritor. Será éste, además, el estadio narrativo que el relator aprovecha para meditar sobre los errores que ocasionan aplicaciones arbitrarias del poder.

Con el licenciado no aprovechó nada, con ser un hombre manso y apacible y de buena condición fuera del oficio, pero por muchos acaece que los cargos y dignidades les truecan la natural condición, como le acaeció a este letrado, que en lugar de aplacarse, mandó que fuese luego el verdugo con una bestia y los ministros para ejecutar la sentencia, los cuales fueron a la cárcel y subieron a Aguirre en la bestia. Los hombres principales y honrados de la villa viendo la sin razón acudieron todos al juez y le suplicaron que no pasase adelante aquella sentencia, porque era muy rigurosa. El alcalde, más por fuerza que de grado [*sic*] les concedió se suspendiese por ocho días.

Ante la amenaza de una humillación pública se recrudecen las actitudes de Esquivel y su víctima. Se instauran de esa manera en el relato alternativas disímiles, que bifurcan, en la mente del lector, el desarrollo consecutivo de los hechos. La pugna establecida introduce en la narración un margen de violencia que descarta, por sí solo, el acontecer racional y predecible. Estamos, pues, ante un discurso que accede plenamente a las solicitaciones de la práctica literaria. Hábilmente entran en juego fórmulas y recursos imaginativos que ya se habían consagrado en la prosa del siglo XVI. Se establecen en el relato dos factores de alta tensión, que moverán el engranaje narrativo: el honor (colectivo e individual) y las prerrogativas de una autoridad institucionalizada, pero ejercida sin mesura.

Son ésas las polarizaciones conceptuales que, con numerosas variantes, se habían dramatizado, por ejemplo, en los entremeses cervantinos y en el teatro de Lope de Vega [23]. Verificamos aquí, aunque oblicuamente, la incorporación de recursos literarios de carácter general, que no podremos ignorar; es el discurso explícitamente sancionado por el arte verbal y no por la metodología historiográfica.

Sin mayores esfuerzos de análisis, la proyección imaginativa del texto resalta cuando el personaje central ejecuta un breve monólogo. Ese desdoblamiento formal del discurso permite una obvia representación imaginada del hablante y sus circunstancias; representación de la que se vale el relator para subrayar la encrucijada individual que padece Aguirre. Es acaso ese trance el más oportuno para exaltar el motivo de la venganza, que será enlace entre el capítulo que culmina y el que se inicia. Es un fragmento admirable, en parte, por la condensación que alcanza el lenguaje.

---

[23] La exposición retórica de esos conflictos se tratan explícitamente en la obra del profesor Joaquín Casalduero *Estudios sobre el teatro español* (Madrid, Editorial Gredos, 1962) y en A. Valbuena Prat, *El teatro español en su siglo de oro* (Madrid, Planeta, 1969), págs. 89-226. Concretamente interesa el artículo de Gustavo Correa «El doble aspecto de la honra en el teatro del siglo VII», *Hispanic Review*, XXVI (1958), página 107.

Cuando llegaron con este mandato a la cárcel —comenta el Inca— hallaron que ya Aguirre estaba desnudo y puesto en la cabalgadura. El cual, oyendo que no se le hacía más merced que detener la ejecución por ocho días, dijo: «Yo andaba por no subir en esta bestia ni verme desnudo como estoy; mas ya que habemos llegado a esto, ejecútese la sentencia, que yo lo consiento y ahorraremos la pesadumbre y el cuidado que estos ocho días había de tener buscando rogadores y padrinos que me aprovechasen tanto como los pasados».

Diciendo esto, él mismo aguijó la cabalgadura; corrió su carrera con mucha lástima de indios y españoles de ver una crueldad y afrenta ejecutada tan sin causa en un hijodalgo; pero él se vengó como tal conforme a la ley del mundo.

Una vez perdidos sus privilegios y derechos a nuevas conquistas, Aguirre aguardó pacientemente hasta que Esquivel cesara en su cargo. Fue alejándose de todos sus conocidos, diciéndoles que ya su único «consuelo era buscar la muerte». Pero, lejos de amedrentarse, al terminar el funcionario sus responsabilidades, Aguirre se lanza a perseguirlo, y, obsesionado por el deseo de vengarse,

dio en andarse tras él como hombre desesperado para matarle como quiera que pudiese para vengar su afrenta. El licenciado, certificado por sus amigos de esta determinación, dio en ausentarse y apartarse del ofendido y no como quiera, sino trescientas y cuatrocientas leguas...

En general, el hilo de la narración va quedando supeditado al motivo de la venganza. Al sustraerse parcialmente el elemento sorpresivo que presentimos en el desenlace, el relator se impone un nuevo reto; el interés de lo narrado radicará ahora en el proceso de elaboración literaria como tal. Creo que nada consigue en el relato mayor efectividad que la graduación de *crescendo* emotivo que nos transmite la aventura obsesiva de Aguirre: «La primera jornada del

licenciado fue hasta la ciudad de los Reyes, que hay trescientas y veinte leguas de camino, mas dentro de quince
días está Aguirre con él». El relato nos hace ver que el
conquistador es incapaz de pensar en otra cosa; sigue la
ruta de Esquivel, y una vez más da con él en Quito, «lo cual
sabido por el licenciado, volvió y dio otro salto hasta el
Cuzco».

Con este traslado se completa la trayectoria del acosado.
Repárese que ya no sólo le acecha su enemigo, sino que
además le persigue la leyenda y el rumor de venganza que
han fomentado las maniobras desorbitadas de Aguirre. En
ese trance, el narrador detiene la imagen del conquistador
vejado, para describirlo con todas las vicisitudes y rasgos
que habitualmente asignaríamos a un personaje novelesco.

> Aguirre, que caminaba a pie y descalzo y decía que un azo-
> tado no había de andar a caballo ni parecer donde gentes le
> viesen. De esta manera anduvo Aguirre tras su licenciado tres
> años y cuatro meses.

En definitiva, la furia obsesionada de uno y el agota-
miento y resignación del otro motivan el encuentro: «viéndose Esquivel cansado de andar tan largos caminos y que
no le aprovechaban, determinó hacer asiento en Cozco... Y
así tomó para su morada una casa, calle en medio de la
Iglesia mayor, donde vivió con mucho recato».

Comprobaremos que se ha impuesto en el desarrollo de
la narración un tiempo imaginario e ilimitado, que desborda
el ámbito estrecho de la secuencia histórica. Ante el nuevo
margen de posibilidades que genera la configuración temporal del relato, lo que consignamos con toda claridad es la
pericia del narrador al servirse de las palabras, y la manipulación artificiosa de motivos y detalles que se entronizan
en el discurso. Queda consumada así una dimensión cuyo

objetivo está centrado en la capacidad expresiva de lo narrado; ése es, sin duda, el nivel de mayor riqueza que nos
reservan estos capítulos.

Hemos conocido allí un pequeño mundo diseñado por
palabras repletas de un nuevo sentido. Es tal la cohesión
de ese proceso que ni la identidad del personaje, históricamente reconocido, logra desequilibrar el plano imaginario
del discurso. Sigilosamente, al describir el estado de ansie-
dad que sufre Esquivel, el narrador introduce varios detalles complementarios, que apuntan hacia el espectáculo de
violencia que hemos anticipado. Se nos dice entonces que el
perseguido, discretamente asentado en Cuzco, «traía de ordinario una cota vestida debajo del sayo y su espada y daga
ceñida, aunque era contra su profesión». Interviene en aquella oportunidad un amigo para aconsejarle. Es por cierto
un personaje identificable en la historia del Perú, pero que
en ese momento aparece como otra señal de una tragedia
inminente.

> En aquel tiempo un sobrino de mi padre, hijo de Gómez de
> Tordoya y de su mismo nombre, habló al licenciado Esquivel,
> porque era de la patria, extremeño y amigo y le dijo: «Muy
> notorio es a todo el Perú cuán canino y diligente anda Aguirre
> por matar a vuesa merced. Yo quiero venirme a su posada si-
> quiera a dormir de noche en ella, que sabiendo Aguirre que
> estoy con vuesa merced no se atreverá a entrar en su casa».
> El licenciado lo agradeció y dijo que él andaba recatado y su
> persona segura, que no se quitaba una cota ni sus armas
> ofensivas, que esto bastaba; que lo demás era escandalizar la
> ciudad y mostrar mucho temor a un hombrecillo como Agui-
> rre. Digo eso porque era pequeño de cuerpo y ruin de talle.

Merece también destacarse el efecto cumulativo que tiene
en el relato la caracterización parcelada e indirecta que el
Inca ofrece de Aguirre; son todos detalles que asignan al

personaje la imagen feroz de un animal de presa. Al contemplar, en diversas ocasiones, la figura diezmada y nerviosa del conquistador, Garcilaso condensa con gran maestría el acto sangriento, que ya es inevitable:

> Pues se atrevió Aguirre a entrar un lunes a medio día en casa del licenciado, y habiendo andado por ella muchos pasos y pasado por un corredor bajo y alto y por una sala alta y una cuadra, cámara y recámara donde tenía sus libros, le halló durmiendo sobre uno de ellos y le dio una puñalada en la sien derecha, de que le mató y después le dio dos o tres por el cuerpo, mas no le hirió por la cota que tenía vestida, pero los golpes se mostraron por las roturas del sayo.

En ese instante veremos la morosidad con que se describe la conducta del personaje, que, finalmente, consigue alcanzar a su víctima; pero es aún más gráfica la imagen balbuciente y aturdida que presenta el agresor en su fuga.

> Aguirre volvió a desandar lo andado y cuando se vio a la puerta de la calle halló que se le había caído el sombrero, y tuvo ánimo de volver por él y lo cobró y salió a la calle, mas ya cuando llegó a este paso iba todo cortado, sin tiento ni juicio, pues no entró en la iglesia a guarecerse en ella teniendo la calle en medio. Fuese hacia San Francisco, que entonces estaba el convento al oriente de la iglesia; y habiendo andado buen trecho de la calle tampoco acertó a ir al monasterio. Tomó a mano izquierda por una calle que iba a parar donde fundaron el convento de Santa Clara. En aquella plazuela halló dos caballeros mozos, cuñados de Rodrigo de Pineda, y llegándose a ellos les dijo: «¡Escóndanme, escóndanme!», sin saber decir otra palabra, que tan tonto y perdido iba con esto.

Después de un diálogo atropellado, los dos jóvenes optaron por esconderle. Para lograrlo, «le metieron los caballeros en la casa del cuñado, donde a lo último de ella había tres corrales grandes y en el uno de ellos había una zahurda donde encerraban los cebones a sus tiempos». Después de aconsejarle que no saliera de allí, le prometieron alimentarlo con sobras que escondían en sus faltriqueras; «fingiendo cada uno de por sí que iba a la provisión natural, se ponía a la puerta de la zahúrda y provehían al pobre Aguirre; y así lo tuvieron cuarenta días naturales»[24].

Ante la desaparición de Aguirre fueron retirados los centinelas, aunque no los «guardas de los caminos reales». Es evidente en las últimas frases el empeño y la delicadeza con que el narrador lleva el relato a su conclusión. Para corroborarlo basta con examinar los engaños que se concibieron en beneficio del fugitivo.

> Les pareció a aquellos caballeros que el uno de ellos se decía fulano Santillán y el otro fulano Cataño, caballeros muy nobles que los conocí bien, y el uno de ellos hallé en Sevilla cuando vine a España que sería bien poner en más cobro a Aguirre y librarse ellos del peligro que corrían de tenerle en su poder, porque el juez era riguroso y temían no sucediese alguna desgracia. Acordaron sacarle fuera de la ciudad en público y no a escondidas y que saliese en hábito negro, para lo cual le raparon el cabello y la barba y le lavaron la cabeza, el rostro y el pescuezo y las manos y brazos hasta los codos con agua; en la cual habían hechado una fruta silvestre que ni es de comer ni de otro provecho alguno.

Así, pintado con «la tez más negra que de un etíope» lo vistieron «como negro del campo con vestidos bajos y viles; y un día de aquellos a medio día salieron con él por las calles». Importa reconocer que en las etapas finales del

---

[24] Sin descartar, por supuesto, la raíz histórica del relato, pienso que la dramatización y las peripecias narradas pudieron inspirarse en la persecución que sufrió su padre por el bellaco y sangriento Francisco de Carvajal. Y, en parte, la figura de Aguirre también pudiera asociarse con la de Pavía, el esclavo honorable a quien el marqués de Cañete condenaría a la horca (II, VII, cap. XXV). Varner, pág. 83.

relato el Inca supo manipular los incidentes de esa apara-
tosa fuga, sin aminorar la tensión narrativa. Descubrimos,
además, un pequeño resorte que, indirectamente, confirma
el desarrollo meticuloso del relato. Lo que me interesa destacar aquí es que la narración, al concluir, retoma el motivo
inicial de la cetrería; detalle singularizado que se insinúa
ahora como el enlace formal que inaugura y cierra el marco
de ficción.

> El negro Aguirre —nos cuenta el Inca— iba a pie delante de
> sus amos; llevaba un arcabuz al hombro y uno de sus amos
> llevaba otro en el arzón y el otro llevaba en la mano un hal-
> concillo de los de aquella tierra, fingiendo que iban de caza.

La estratagema se hace aún más ingeniosa al tropezar
Aguirre y sus acompañantes con los guardas que vigilaban
la entrada a la ciudad. «Vuesa merced —dijo un caballero
al otro— me espere aquí o se vaya poco a poco, que yo
vuelvo por licencia y le alcanzaré muy aína». Garcilaso, desta-
cando sus prerrogativas de narrador omnisciente añade:
«Diciendo esto, volvió a la ciudad y no curó licencia. El
hermano se fue con su negro a toda buena diligencia hasta
salir de la jurisdicción del Cozco».

Conseguida su libertad, Aguirre encuentra la protección
de otros conocidos suyos. Y el Inca añade allí alusiones que
parecen denunciar las injusticias sufridas por los conquistadores y sus familias; padecimientos que, en varios órdenes,
él también conoció. Con esas palabras la narración se devuelve a los referentes externos que provee el marco histórico de la obra. Lo que hemos observado con toda brevedad
es un proceso de ficcionalización, en que la materia informativa quedó transmutada en invención verbal. Pero deseo
señalar que los mecanismos retóricos que hacen posible esa
apertura creativa y que la cancelan no son excepcionales,

sino que se repiten en términos similares en los *Comentarios reales* y otras relaciones que examinaré. De esa manera precisamos, en el desarrollo de estos fragmentos, un rasgo expositivo de la crónica americana que nos sirve para caracterizar la organización formal que a menudo siguieron aquellas relaciones; observamos, concretamente, un resorte de transición que desplaza la materia documental —aunque sin desvirtuarla— para dar paso a visiones imaginarias de lo narrado.

## IV

Propongo, en definitiva, que el relato comentado en estas páginas no debe juzgarse como otra desviación inoportuna. Por el contrario, pienso que «La venganza de Aguirre» engloba un espacio existencial que es bastante más significativo que los pormenores descritos en la narración. El desenvolvimiento gradual de los hechos nos ha mostrado, en el ámbito individual, la evolución de una nueva sociedad que perdía el brío inicial de la Conquista y que se consolidaba bajo el peso inerte de estructuras institucionalizadas.

Son estas y otras interpolaciones creativas —que ya señalaba en el capítulo anterior— las que acercaron el mundo americano a la mente desconcertada del lector europeo; y son también los únicos momentos en que el hombre humilde se impone como verdadero sujeto del proceso cultural descrito. Añadiré, inclusive, que, en un sentido no menos importante, la ficción intercalada ha enriquecido en este caso el panorama impersonal de la historia, al insertar en él la paradoja y el azar como elementos inherentes a la conducta humana. Pensándolo así, en este fragmento del Inca se añade al espacio histórico que ya conocíamos otro que no es mesurable, pero que afecta a nuestra percepción de la realidad y que nos conduce a ese último fondo de la experiencia histórica. Advertiremos, sin embargo, que la adquisición de ese conocimiento adicional sólo es posible cuando el texto se aprecia por su singularidad, y no como una simple función de sus referentes.

Por último, no es ocioso reconocer que, en «La venganza de Aguirre» —como en otros relatos del Inca—, la efectividad y amplitud del testimonio histórico han sido determinadas por las cualidades específicas del enunciado. Lo más admirable acaso es que el discurso de la historia alcanza sus objetivos con toda plenitud al adoptar los códigos privilegiados de la creación literaria. En nuestros juicios, ese hecho recurrente no podrá omitirse, porque es un factor significativo en la organización formal de los *Comentarios reales*.

La naturaleza misma de los *Comentarios reales* invita, pues, a una labor interpretativa que rebase el recuento monótono de los acontecimientos. Pienso que sería fácil equivocar nuestros juicios si olvidamos que los textos del Inca Garcilaso deben mucho a su fecundidad imaginativa. Con esa afirmación no quisiera devaluar en modo alguno la vasta aportación documental y erudita que debemos al genial mestizo. Pero quizá lo más memorable de su obra es que en ella se definen con toda plenitud muchos de los rasgos intelectuales que singularizan al hombre americano y su literatura. Por ello me parece factible concluir que en las relaciones del Inca se inicia, en efecto, un nuevo tiempo en la historia de nuestro acontecer cultural.

CAPÍTULO III

## LA HISTORIA COMO PRETEXTO: FORMAS DE LA INVENCIÓN LITERARIA EN *EL CARNERO*[1]

En los recuentos esquemáticos de nuestras letras coloniales, *El carnero* de Juan Rodríguez Freyle (1566-1640) suele evocar una imagen borrosa. Es uno de esos libros que se

[1] El título original de la obra es: *Conquista y descubrimiento del Nuevo Reino de Granada de las Indias occidentales del mar océano y fundación de la ciudad de Santa Fé de Bogotá.* Varios especialistas estiman que la obra se conoce bajo el título de *El carnero* porque es relación inclinada a la «causticidad proverbial», y que se tomó esa voz, además, como sinónimo de sepultura, que es uno de los significados que carnero asumió en el habla santafereña. *Carnarium* era también —según apunta Miguel Aguilera— «donde pararon títulos de incierta hijodalguía». Véase el comentario crítico que precede a la edición de Bogotá, Editorial Bedout, s. f., págs. 7-30. Cito por esa edición. Se sabe que la obra fue escrita entre 1638 y 1639, pero no fue editada hasta 1859. Sobre el curioso prólogo que Rodríguez Freyle antepone a su obra, consúltese el estudio de Raquel Chang-Rodríguez «El prólogo al lector de *El carnero*», *Thesaurus*, XXIX (1974), págs. 1-4. También de la misma profesora es el sugestivo artículo «Fantasía y realidad en *El carnero*», *Memorias del XVI Congreso del Instituto Internacional de Literatura Iberoamericana* (1975), págs. 73-76.
A pesar de que cada día se estudia *El carnero* con mayor interés y minuciosidad, la personalidad histórica de su autor permanece un tanto difusa en los anales de las letras americanas. Juan Rodríguez Freyle nació en Santa Fe del Nuevo reino de Nueva Granada el día 25

han descrito, durante muchos años, como un texto excepcional de la prosa americana; pero, en verdad, es muy poco lo que sabemos sobre la narración. Distraídos acaso por las fórmulas ociosas del elogio y del clisé descriptivo, hemos olvidado que, tras esos ajetreos de frailes, oidores y encomenderos, permanece un discurso que es, por encima de todo, una ingeniosa obra de creación. Precisamente porque hemos sabido entender la verdadera naturaleza del texto, hoy siguen repitiéndose tantos juicios inoperantes. Entre literatos e historiadores se ha dicho, por ejemplo, que el libro no aporta noticias de interés y que resulta confuso a la hora de establecer los hechos.

Es cierto que en *El carnero* no abundan las revelaciones espectaculares. Pero creo que esa valoración ha dado lugar,

---

de abril de 1566. Casi nada se sabe acerca de su infancia y juventud, excepto que a los nueve años de edad adquiría sus primeros conocimientos en la escuela del Maestro Segovia. Se sabe, eso sí, que años después participó —cuando aún era muy joven— en múltiples expediciones aventureras, concebidas para descubrir tesoros ocultos. Al parecer, también sintió en algún momento la vocación religiosa; pero esa apetencia, como otras iniciativas suyas, no perduró. En efecto, su vida fue azarosa y, al parecer, no exenta de amarguras y frustraciones; sentimientos éstos que él revela más de una vez en *El carnero*: su único libro. Hacia 1585 viajó a España, donde permaneció seis años. Estuvo en Sevilla, Alcalá de Henares y Cuenca. Las noticias de que disponemos indican que durante su estadía en la Península logró ampliar considerablemente sus lecturas. Al regresar a su tierra —quizá sin otras opciones más lucrativas— se dedicó a la agricultura. Fue ya en la vejez cuando se apartó de casi todo, para entregarse de lleno a las tareas histórico-literarias. Acaso él —como muchos de los cronistas que le precedieron— comprendió que ese texto postrero y escrito en la penuria sería, en fin de cuentas, la única posesión valiosa que alcanzaría. Contaba ya setenta y dos años cuando terminó la primera mitad de su pintoresca y a veces escandalosa narración; narración que elaboró empeñosamente, deseoso tal vez de que su libro le permitiera ingresar de algún modo en la historia, entonces incipiente, de las letras y la historiografía de aquel virreinato. Falleció en su tierra natal hacia 1640.

sin quererlo, a otro equívoco en nuestra historia literaria. Es preciso reconocer, ante todo, que lo novedoso radica en la estructura del libro y no en los datos que éste agrupa. Por encima de otras consideraciones, pienso que la obra de Rodríguez Freyle ha de verse como un enunciado que ilustra las mutaciones complejas que sufría la crónica de Indias en el siglo XVII. Con toda seguridad, es ese nivel del texto el que reclama nuestros mejores esfuerzos; y, al proponer un conocimiento pormenorizado de la narración, podría añadir que una manera siempre provechosa de conocer la historia es indagar cómo fue escrita. Tomando, pues, esa noción como punto de partida, he preparado estas notas, que a su vez facilitarán algunas precisiones ulteriores sobre el contexto cultural e histórico de la narración.

I

Al repasar las crónicas del período colonial, diríamos que entre los rasgos distintivos de la relación histórica en el siglo XVII sobresale la creciente ambigüedad temporal del discurso; veremos que en esos libros se entretejen, con inesperada sutileza, los hechos verificables y el tiempo subjetivado y reversible de la ficción [2]. Acabamos de comprovarlo en la prosa del Inca Garcilaso, y sabemos que, con los años, esa inclinación cobraría aún mayor vigencia. Así se transformaba, veladamente, el ensamblaje de la narración documental; pero lo cierto es que, a pesar de su creciente contenido imaginativo, todas aquellas relaciones —contempo-

---

[2] La problemática estructural que suscita esa yuxtaposición temporal se trata a varios niveles en la obra de Roland Barthes *Ensayos críticos* (Barcelona, Seix-Barral, 1967), págs. 35, 77, 127, 309.

ráneas de *El carnero*— surgieron hipotecadas por el prestigio intelectual de la historia.

Hoy, al cotejar *El carnero* con otras narraciones de aquel siglo, comprobamos que el esquema superficial de la obra no contiene mayores sorpresas. Como casi todas las crónicas virreinales, el texto procura un desarrollo cronológico de acontecimientos, que se convierten, ante nosotros, en una suma indiscriminada de experiencias y datos, a veces de interés muy desigual.

Con sorprendente facilidad, Rodríguez Freyle ensarta en el hilo inquieto de su narración refranes, anécdotas y leyendas, que entresacó de sus recuerdos personales o de fuentes muy dispares. Pero, aunque así es, en lo que se refiere a su organización básica, *El carnero* se inclina discretamente hacia el plano autobiográfico. Es una tendencia que percibimos tanto en confesiones directas del autor como en breves pasajes que manifiestan su visión omnisciente de los hechos.

Pero en ningún momento observaremos en *El carnero* la tensión polémica que nos comunican las palabras del Inca. Lo que nos admira en el libro de Rodríguez Freyle es el temblor de una sensibilidad creativa, que se descubre ante el lector; es notable, de cualquier modo, la espontaneidad con que narra pormenores de su vida: «Al mismo tiempo que escribo —dice al comenzar su obra— me hallo en edad de setenta años» (II). En otra parte, al recalcar su conocido escepticismo ante las mujeres, el cronista abre otras fisuras emotivas en el texto; son instancias que nos revelan inquietudes personales y el humor satírico que caracteriza al narrador.

> ¡Válgame Dios! ¿Quién al cabo de setenta y dos años y más, me ha revuelto con mujeres? ¿No bastará lo pasado? Dios me oiga y el pecado sea sordo: no quiera que llueva sobre mí algún aguacero de chapines y chinelillas que me haga ir a

buscar quien me concierte los huesos; pero yo no sé por
qué... Yo no las he ofendido, antes bien las he dado la jurisdicción del mundo. Ellas lo mandan todo, no tienen de qué
agraviarse (XVIII).

Es evidente que, al redactar con esas miras, el narrador
se otorga una doble función: es a un mismo tiempo vehículo
y sujeto del proceso narrativo. Pero indicaré que, en contraste, digamos, con los libros de Garcilaso, el relator, en
*El carnero*, no vigila la elaboración del discurso con igual
minuciosidad. A la par de estas observaciones, se compren-
derá también que la contextura vacilante y en algunos momentos endeble de la obra remite a la inseguridad que pa-
deció el narrador. Además, al juzgar hoy la calidad y rasgos
del texto, vale la pena recordar que Rodríguez Freyle escribió presionado por la incertidumbre natural en un hombre
que había descubierto su vocación literaria en los últimos
años de su vida. Esa percepción, a veces angustiada, de su
labor, nos explica el tono remiso que predomina en varios
sectores de su obra: «Gasté —nos dice— los años de mi
mocedad por esta tierra, siguiendo la guerra con algunos
capitanes timaneses» (XIX). En otro capítulo, sumido en un
momento característico de introspección, el cronista añade:
«En su lugar diré quién puso estos libelos; y están luchando
conmigo la razón y la verdad. La razón me dice que no me
meta en vidas ajenas; la verdad me dice que diga la verdad.
Ambas dicen muy bien, pero valga la verdad» (XI). Creo que
esas breves alusiones no son, en todos los casos, un material fortuito, sino más bien señales personalizadas que se
imponen reiteradamente como un factor significativo en la
organización del texto.

## II

Al iniciar una caracterización general de la obra, quisiera destacar que *El carnero* convoca una gran variedad de recursos expresivos, que proceden tanto de la historiografía, la ficción y el folklore, como de la literatura didáctica y religiosa de la Edad Media y el Renacimiento. La convergencia notablemente desordenada de lo tardío y lo contemporáneo es, por otra parte, habitual en las crónicas virreinales. Pero ocurre que algunos han visto esas yuxtaposiciones arbitrarias de técnicas y motivos como indicios que aluden a la incultura del «cronista labrador». Estimo que sería prematuro tacharle de ignorante. Más justo sería admitir que desconocemos el verdadero registro de las lecturas que nutren la formación del narrador. Podemos sospechar, eso sí, que Rodríguez Freyle disfrutó de un repertorio de conocimiento que alcanzaban más allá de lo que indican las citas y referencias ocasionales que asoman en su libro.

Se sabe, por ejemplo, que, además de haber tenido acceso a fuentes históricas muy variadas, el cronista consultó el *Libro de Alexandre*, el *Libro áureo del emperador Marco Aurelio* de Antonio de Guevara, *El Amadís*, la *Silva de varia lección* de Pero Mexía y, sobre todo, *La Celestina*[3]; obra que, según se verá, penetra de diversas maneras en el texto

---

[3] Las lecturas y recursos narrativos de Rodríguez Freyle fueron examinados por Alessandro Martinengo en «La cultura literaria de Juan Rodríguez Freyle», *Thesaurus*, XIX (1964), págs. 274-297. La exploración que llevó a cabo el profesor Martinengo se ocupa principalmente de los principales recursos estilísticos que utilizó Rodríguez Freyle, pero no documenta en sí el repertorio de lecturas o las fuentes que tuvo a mano el cronista. Es un ensayo, en general, muy útil.

de Rodríguez Freyle e inclusive inspira, parcialmente, uno
de los relatos más sugestivos de *El carnero*.

Sin emprender una exploración minuciosa de fuentes y
referencias como tales, veremos que las tipologías narrativas reunidas en *El carnero* delatan por sí solas una variedad
considerable de modelos, que se remontan, por una parte, a
la cuentística popular española y, por otra, a los métodos
descriptivos y de caracterización que cultivó la historiografía americana y la peninsular del Medioevo. En conjunto, el
enlace incesante de esas formas de la narración breve aparece en seguida como uno de los rasgos más destacados
de la obra.

Es cierto que otras relaciones de aquellos años —y anteriores— incorporan relatos y un amplio material anecdótico,
que surge casi siempre como apéndice creativo de los acontecimientos historiados. Pero debemos reconocer que lo excepcional en *El carnero* es que el discurso progresa en función de esas narraciones intercaladas que hoy identificamos
como la materia viva del texto; son fragmentos que, por su
solvencia formal, justifican la obvia disposición antológica
que asume la narración.

El compendio de esquemas narrativos que reconocemos
en *El carnero* es excepcional, no sólo por su variedad, sino
además por el grado de elaboración que exhiben los fragmentos y relatos más extensos. En el curso de la obra se
incluyen largas historietas, que a veces resultan de la perí-
frasis del refrán; el «callado engaño» sería un buen ejemplo
de lo que señalo (X); y paralelamente se desarrolla un *corpus*
casi interminable de anécdotas complementarias (XVIII-
XVI), aunque muchas poseen un interés secundario. Aparecen con igual facilidad cuentecillos ocasionales (XVI, VII),
en que se describen, entre otros, el célebre motivo del «tesoro enterrado». Son casi todas narraciones concebidas en

torno a personalidades y hechos destacados de aquel virreinato; sucesos que encuentran en frases como éstas el necesario peldaño introductorio: «En que se cuenta, entre muchas otras cosas, lo sucedido al doctor Andrés Cortés» (XII).

No es preciso enumerar todos los enlaces que determinan la presencia de la ficción intercalada; por su significado histórico, merecen atención las narraciones que brotan, como los *exempla*, desde el proverbio o apoyándose en la muletilla de tópicos tradicionales, que durante siglos utilizaron tanto la historia como la narrativa de ficción. En algunos casos, el engranaje que cataliza el proceso narrativo a que me refiero es el simple pretexto doctrinal que conocimos en *El corbacho* o en *El libro de los exemplos*.

> No puedo dejar de tener barajas con la hermosura —aclara el cronista—, porque ella y sus cosas me obligan a que las tengamos. Esto lo uno, y lo otro porque ofrecí escribir cosas, no para que se aprovechen de la malicia de ellos; sino para que huyan los hombres de ellos y los tomen por doctrina y ejemplo para no caer en sus semejantes y evitar lo malo (VIII).

En otros pasajes de la obra, la fórmula misoginista —tan favorecida por el relator— proporciona el motivo que da cabida a las narraciones más audaces: «Peligrosa cosa es tener la mujer hermosa, y muy enfadosa tenella fea; pero bienaventuradas las feas, que no he leído que por ellas se hayan perdido reinos ni ciudades» (XV). De ese modo, al pasar de una materia a otra, los procedimientos del cronista más de una vez evocan ligeramente el escenario imaginario que había difundido la *novella* italiana: «Sucedió, pues, que como gente moza y amigos, tratando de mocedades, contaba cada uno de la feria cómo le había ido en ella. Espéreme aquí el lector por cortesía un poquito» (XV). Al reconsiderar el texto que construye, el relator se detiene para justificar de algún modo la abundancia de la materia novelada en la crónica. Rodríguez Freyle retoma precedentes, al mismo tiempo que alude —sin poderlo evitar— al carácter antológico de su obra:

> Ya tengo dicho —dice en el capítulo XV— que todos estos casos, y lo más que pusiere, los pongo por ejemplo: y esto de escribir vidas ajenas no es cosa nueva, porque todas las historias las hallo llenas de ellas.

Valiéndose de esos y otros recursos, la narración intercalada parece en *El carnero* como elemento integral de una retórica de persuasión, que es, a propósito, rasgo distintivo de la historiografía de Indias [4]. Es obvio que, al cumplir esa función, el cuento interpolado suele retener sus prerrogativas tradicionales como materia que contempla el contexto histórico en cuestión; y es en esos casos cuando de manera más evidente el esquema del relato adopta el marco histórico y las fórmulas ejemplarizantes que la crónica americana heredó de la historiografía medieval [5].

Pero de mayor desarrollo formal e interés son otras narraciones legendarias, que por lo general incorporan la sinopsis tripartita del cuento literario, según se cultivaba en-

[4] Esa dialéctica de persuasión a que me he referido, y que discretamente anticipa el *Diario* de Colón se discute con lujo de detalles en la obra de J. H. Elliot *El viejo mundo y el nuevo, 1492-1650.*

[5] Sabemos, además, que Rodríguez Freyle conoció, entre otras, la *Grande e general estoria* de Alfonso el Sabio, y muy probablemente la *Historia del Emperador Carlos V* de Pero Mexía, ya que había leído otras obras del cronista imperial. La tópica ejemplarizante que repetidamente utiliza Rodríguez Freyle (ver XVIII) es un obvio reflejo de las elaboraciones que observamos, por ejemplo, en *Generaciones y semblanzas* de Fernán Pérez de Guzmán. Consúltese: Francisco López Estrada, «La retórica en las *Generaciones y Semblanzas*», *Revista de Filología Española*, XXX (1946), pág. 315, en que se analizan algunos de los recursos expresivos de que se vale la historiografía castellana del medioevo.

tonces en libros muy difundidos. A esa categoría —quizá la más extensa— pertenece, entre otros, «El clérigo que engañó al diablo» (V), narración que examino en este capítulo y que posee variantes identificables en libros célebres.

Tanto «El clérigo...» como los sucesos ocurridos al «juez conservador» (XVIII) son narraciones que por su diseño formal deben situarse en el contexto de la cuentística popular española, que se había desarrollado con gran éxito a partir del siglo XVI. Con ello quiero decir que numerosos relatos de *El carnero* encajarían de lleno en los esquemas narrativos que sugiere, por ejemplo, *El libro áureo del emperador Marco Aurelio*, obra que Rodríguez Freyle con toda seguridad tuvo a mano, ya que indirectamente alude a ella (VIII) [6].

Pero aún de mayor interés son las narraciones que repetidamente transforman aquellos sucesos de la historia en episodios ficticios, que a su vez trascienden, en varios órdenes, la hechura escueta del cuento popular. Son textos que alcanzan en casi todas sus funciones el rango indeciso de la narración legendaria [7]. «El encomendero de Chivatá» (X) o

---

[6] Esa tradición de narraciones populares fue examinada recientemente por Maxime Chevalier en *Cuentecillos tradicionales en la España del Siglo de Oro* (Madrid, Editorial Gredos, 1975). La proximidad que existe entre algunos relatos de Rodríguez Freyle y los cuentos peninsulares del siglo XVI se comprueba al cotejar «Un negocio con Juana García» y la narración de Juan de Mal Lara que aparece en su *Filosofía vulgar* y se construye en torno al refrán: «Aclarádselo vos, compadre». Ver Chevalier, *ibid.*, págs. 232-233. Interesa destacar que desde la Edad Media existen variantes muy conocidas en torno al motivo del marido ausente. Sabemos de una variante francesa que aparece en el *Libro de buen amor*, y, a un nivel más popular y contemporáneo, ese tópico se difundió en el romancero. El romance de *El soldadito* es acaso el ejemplo más conocido entre las versiones populares de ese motivo.

[7] Al hacer esa distinción me atengo a las categorías formuladas por Vladimir Propp en *Las raíces históricas del cuento* (Madrid, Editorial Fundamentos, 1974), págs. 69-100, 315-320. Véase, además, el valioso trabajo de J. R. Rayfield «What is a story», *American Anthro-*

el relato de «Juan Roldán, Alguacil de la corte» (XIII) ilustran plenamente el nivel de composición a que me he referido.

Si bien es cierto que esas narraciones expanden notablemente la materia ficcionalizada en *El carnero,* los resultados que logra el relator no son siempre afortunados. En un número considerable de relatos el flujo narrativo tiende a disolverse en ramificaciones episódicas que hacen palidecer la riqueza imaginativa del texto. Eso, precisamente, es lo que observamos en «Juan Roldán, alguacil...», narración que se distingue también por su teatralidad y por las elaboraciones que poco a poco trenzan los sucesos principales y secundarios.

Pero, en verdad, los fragmentos que aproximan *El carnero* a nuestra sensibilidad son aquellos que se transmutan plenamente en creaciones autosuficientes y que superan la contingencia histórica que les sirve de marco. Me detengo ahora ante narraciones en que el discurso asume la estrategia y expresividad propias de la creación literaria; es decir, aquellas en que el esquema narrativo se toma como el referente primordial de la escritura. En esa categoría se inscribe, por ejemplo, «Los libelos infamatorios» (XI) o el relato en que se dramatiza las aventuras de Inés de Hinojosa (X).

III

Pienso, sin embargo, que ninguna de esas narraciones alcanza el grado de perfección formal y la multiplicidad de referentes que percibimos en «Un negocio con Juana García»

*pology,* LXXIV (1972), págs. 1004-1087, y, en el mismo número, el estudio de William Bascom «The Forms of Folklore: Prose Narrative», páginas 3-19.

(IX). Se trata, con toda claridad, de una narración que toma un amplio sector de la tradición literaria como punto de partida. Pero no quisiera inferir que la singularidad del relato estriba exclusivamente en su equilibrio formal o en su obvia estirpe literaria. En otros órdenes, el texto también nos interesa porque ilumina —según indicaré— esa amplia y casi desconocida zona de la historia americana en que los sucesos cotidianos daban lugar a la materia de creación propiamente dicha.

Sintetizándolo en pocos trazos, el asunto del relato es el siguiente: aprovechando las flotas en tránsito, un vecino de Cartagena de Indias embarcó en busca de mejor fortuna. Allí se quedó su mujer, que, al encontrarse sola, trabó amoríos con otro, que en seguida la dejó preñada. Desesperada la mujer, quiso abortar, y, para lograrlo, procuró los servicios de Juana García, «negra voladora», que aparece de inmediato como mezcla de bruja y alcahueta. Sabiendo que el marido tardaría en regresar, Juana da largas a la embarazada.

> No hagáis tal hasta que sepamos la verdad, si viene o no. Lo que puedes hacer es... ¿véis aquel lebrillo verde que está allí? Pues, comadre, henchídmelo de agua y metedlo en vuestro aposento, y aderezad que cenemos, que yo vendré a la noche y traeré a mis hijas y nos holgaremos y también prevendremos algún remedio para lo que decís que queréis hacer.

En el lebrillo Juana muestra al marido de su amiga en compañía de otra mujer, a la que regala «un vestido de grana».

A través de las imágenes reflejadas en el agua, Juana logra apoderarse de una manga del vestido, y, al hacerlo, consigue de una vez la prueba material de infidelidad y el reconocimiento de sus poderes sobrenaturales. En el curso de los años, el marido ausente viaja en numerosas ocasiones de Santo Domingo a España, para finalmente radicarse en Cartagena. Al regresar, su mujer no se cansa de reprocharle los lances que disfrutó en sus viajes, y ofrece datos para probarlo. El marido, asombrado, insiste en que le revele cómo logró saber tales cosas. Ante la insistencia del esposo, la mujer muestra la manga obtenida por medio del lebrillo, y así, sin quererlo, se descubren las facultades de Juana García, que de inmediato es encarcelada por sus artes diabólicas.

Pero en el proceso contra la bruja surge una situación imprevista. Se nos aclara entonces que personas influyentes de aquel virreinato también habían utilizado sus servicios. El auto contra Juana tiene que deponerse; y, al concluir la narración, sabemos que Juana es desterrada y que «en su confesión dijo que cuando fue a la Bermuda, donde se perdió la Capitana (naufragio, al parecer, sin base histórica), se echó a volar desde el cerro que está a espaldas de Nuestra Señora de las Nieves, donde está una de las cruces; y después de mucho tiempo adelante le llamaban Juana García, o cerro de Juana García». Así, con la mayor sencillez, el narrador concluye el relato y devuelve el personaje al ámbito legendario del que procedía.

Sin que apenas lo notemos, la trama se sitúa en un ámbito que tácitamente favorece la descripción imaginaria de los hechos. Cartagena de Indias, puerto carenero, célebre por su bregar de flotas, arrias y gente en tránsito, se ofrece como el marco legendario de la narración; marco tan efectivo en este caso como lo es el misterioso Toledo que en el *Conde Lucanor* sirve de fondo al ejemplo de don Illán. En «Un negocio con Juana García», las noticias en torno a naves desaparecidas y personajes de la época gradualmente suscitan evocaciones que nutren la trabazón imaginaria del texto; es un emplazamiento sugestivo que corresponde, en su función, al bajo mundo sevillano que envuelve y enriquece el *Rinconete y Cortadillo* de Cervantes [8].

En las frases iniciales del relato, el lenguaje monocorde y fláccido de la narración histórica alcanza rápidamente la condensación expresiva que suele identificar al discurso literario. Sin vacilar, y con admirable sencillez, se nos entrega el núcleo conflictivo del relato: «era un hombre casado, tenía la mujer moza y hermosa; y con la ausencia del marido no quiso malograr su hermosura, sino gozar de ella. Descuidóse e hizo barriga...». Con igual efectividad se esbozan los personajes y el escenario de la narración, a la vez que se establece la unidad tonal de una escritura que, a partir de esas frases, oscilará entre el humor mordaz y un margen sutil de ambigüedad. Presenciamos ahora la creación de un discurso ágil y matizado por resortes astutos que va encadenando el narrador.

El diálogo, por cierto, mucho más desarrollado que en el relato de Garcilaso, sirve aquí para mantener el flujo dinámico de la narración y actúa, además, como fino instrumento definitorio; sobre todo en lo que se refiere al delineamiento de Juana como personaje mixto, que ofrece al narrador las mayores dificultades. Se la describe como «negra horra que había subido a este reino»; y Juana es también la «negra voladora» que se ocupa de «apretadas diligencias»; el narrador nos explica que eran ya «muchos los que habían caído en su red».

---

[8] La significación del emplazamiento imaginativo, que he mencionado en *Rinconete y Cortadillo* y que se verifica en otras narraciones cervantinas, ha sido estudiada por Ruth El Saffar en su valiosa obra *Novel to Romance: A Study of Cervantes' Novelas ejemplares* (Baltimore, The John Hopkins University Press, 1974), págs. 30-50.

En conjunto y de manera cada vez más sobresaliente, el escenario, los personajes, el mismo oficio de Juana y hasta la escritura como tal insinúan el linaje celestinesco de la narración. Sabemos que en más de una ocasión se han señalado algunos puntos de contacto entre *El carnero*, *La Celestina* y la novela picaresca; pero es un hecho que se ha visto a manera de dato complementario, y sin verificar las implicaciones del mismo. No se trata, según se verá, de un roce occidental de textos. Rodríguez Freyle no sólo se inspira en *La Celestina* al elaborar su relato, sino que menciona en otra parte la obra de Fernando de Rojas, e inclusive alude a varios de sus protagonistas:

> Conténtate con lo razonable, toma el consejo de la vieja Celestina, que hablando con Sempronio le decía: «Mira, hijo Sempronio, más vale en una casa pequeña un pedazo de pan sin rencilla, que en una muy grande mucho con ella...» (XXI).

La cita, mal construida por Rodríguez Freyle, corresponde parcialmente a la conversación que sostienen Celestina y Areúsa: «En tu seso has estado, bien sabes lo que hazes. Que los sabios dicen: que vale más una migaja de pan con paz que toda la casa llena de viandas con renzillas»[9]. De

---

[9] En otra parte, Rodríguez Freyle reproduce otro pasaje de *La Celestina*. Leemos: «La mujer es arma del diablo, cabeza del pecado y destrucción del parayso» (VIII). En la *Tragicomedia* aparece un trozo muy similar: «Por ellas es dicho: arma del diablo, cabeza de pecado, destrucción del parayso» (I, pág. 49). Todas las citas provienen de la edición de Julio Cejador Frauca, 3.ª ed. (Madrid, Espasa-Calpe, 1913). El cotejo de ambos textos fue sugerido parcialmente por Gabriel Giraldo Jaramillo en su brevísimo trabajo «Don Juan Rodríguez Freyle y *La Celestina*», *Boletín de Historia y Antigüedades*, XXVII (1940), págs. 582-586. En ese estudio se cita también este fragmento, que aparece en *El carnero*: «El amor es un fuego escondido, una agradable llaga, un sabroso veneno, una dulce amargura, una delectable dolencia, un alegre tormento, una gustosa y fiera herida y una

manera explícita, el trozo que reproduce Rodríguez Freyle
confirma la proximidad de *La Celestina* como referente inmediato de *El carnero*. Brevemente, al cotejar los textos,

---

blanda muerte» (XV). En *La Celestina* leemos: Cel. «Amor dulce».
Melibea: «Esso me declara que es, que en sólo oírlo me alegro». Cel.:
«Es un fuego escondido, una agradable llaga, un sabroso veneno, una
dulce amargura, una delectable dolencia, un alegre tormento, una
dulce e fiera herida, una blanda muerte» (II, pág. 59). Pasaje que,
por cierto, remite directamente al *De Remediis* (I, 69) de Petrarca.
Y, a mi modo de ver, ambas versiones —la de Rodríguez Freyle y la
de Rojas— equidistan del texto de Petrarca.

En otro orden, sin embargo, la moralística y la misoginia de Freyle
es tópica que se remonta a las más antiguas narraciones persas (*El
libro de Sindibad*), pero que en *El carnero* se explota según los convencionalismos medievales. Esa vertiente de la narración confirma una
vez más la profusión de motivos y temas renacentistas y medievales
que se amalgaman caprichosamente en *El carnero*. Sin que pretenda
catalogar aquí todos los antecedentes de la narración, obsérvese que
ecos de *La Celestina* reaparecen en esta crónica. Aunque no son citas
directas, otros fragmentos de la narración de Rodríguez Freyle se
insinúan a lo largo del texto como distantes alusiones paródicas a
*La Celestina*. En el capítulo VII leeremos un trozo que ilustra la
incorporación frecuente del saber popular en la práctica literaria:
«El cacique de Bogotá, que murió en la Conquista, fue fama que no
era natural de este Reino, y que el Guatavita le entronizó haciéndole
cacique de Bogotá... y fue criar cuervo que le sacó los ojos». El uso
particularizado de la frase proverbial indirectamente evoca este fragmento de *La Celestina*, que por cierto tiene un sentido didáctico muy
similar al que vimos en *El carnero*: «Por qué quesiste dixessen: del
monte sale con que se arde e que crió cuervo que me sacase el ojo»
(II). Y es posible, además, que esa manipulación literaria del refrán
provoque las siguientes frases de *El carnero*: «Por lo menos cabe
aquí muy bien aquello que se suele decir: A un traidor dos alevosos»
(XIX). Pasaje que acaso tiene su antecedente en la exclamación de
Celestina: «A ese tal dos alevosos» (I, pág. 136).

En otro plano, creo que muchos fragmentos de *El carnero* se remontan indirectamente a los episodios más sensuales que contiene
*La Celestina*. Así, por ejemplo, con humor mordaz, Rodríguez Freyle
narra los contratiempos del mancebo Ontanera: «No es mucho eso,
que no há dos noches que estando yo con una dama harto hermosa
a los mejores gustos se nos quebró un balaustre de la cama» (XVII).
Ver además IX, págs. 112, 113. Por último, aunque a nivel de refe-

vale la pena señalar que en «Un negocio con Juana García»
se evoca con toda claridad la conocida escena epicúrea del
banquete, que reaparece tantas veces en las imitaciones de
*La Celestina;* cena a la que asisten Sempronio, Pármeno,
Celestina, Elicia y Areúsa (IX) [10], y que motiva estas frases
de Juana: «Aderezad que cenemos, que yo vendré a la noche
y traeré a mis hijas y nos holgaremos».

Esa noche, Juana «también envió a llamar otras mozas
vecinas suyas, que se viniesen a holgar con ella». En *La
Celestina* encontraremos varios fragmentos que pueden tomarse como procedentes de las citas que acabo de ofrecer:
«Baja Pármeno —dice Sempronio— nuestras capas y espadas, si te parece que es hora que vamos a comer». Y más
adelante dirá: «No hayamos enojo, asentémonos a comer»
(IX). La escena descrita por Rodríguez Freyle también nos

---

rencias eruditas, el sentido paródico de *El carnero* se manifiesta en
las múltiples alusiones que Rodríguez Freyle hace a los textos bíblicos,
la mitología y, sobre todo, a la patrística e historia política del
mundo greco-romano. Véanse los fragmentos siguientes, XI, págs. 346,
349-356. Referencias que han sido comentadas por A. Martinengo, «La
cultura...», pág. 281. Lo que se da en *El carnero* en grado excepcional
es, pues, una transposición de figuras retóricas que en gran medida
determinan el carácter ambiguo de la obra. Ese hecho tiene en sí
una significación más amplia de lo que podría pensarse. En ese sentido, Roland Barthes ha indicado con razón que «las figuras retóricas
siempre han sido tratadas con gran desprecio por los historiadores
de la literatura o de la lengua, como si se tratara de juegos gratuitos
de la palabra; siempre se opone la expresión 'viva' a la expresión
retórica. Sin embargo la retórica puede constituir un testimonio capital de civilización, ya que representa un cierto recorte mental del
mundo, es decir, en últimos términos, una ideología», *Ensayos críticos*
(Barcelona, Seix-Barral, 1967).

[10] Ese pasaje evocará también la escena inicial en que Celestina
exclama: «Cenemos todos, partamos todos, holguemos todos» (I, página 32). Sobre las imitaciones de esa escena, véase María Rosa Lida
de Malkiel, *La originalidad artística de La Celestina* (Buenos Aires,
EUDEBA, 1968), pág. 242.

recuerda la conocida exclamación de Celestina: «no havemos de vivir para siempre, gozemos e holguemos», y remite aún de manera muy directa a la expresión de Areúsa: «Agora nos gozaremos juntas, agora te visitaré, vernos hemos en mi casa y en la tuya» (XVII) [11]. Obsérvese, a raíz de estas comparaciones, que la descripción inicial de la preñada está sugerida, además, por esta intervención de Celestina al dirigirse a Melibea: «De Dios seas perdonada, que buena compañía me queda. Dios la deje gozar su noble juventud y florida mocedad, que es el tiempo en que más placeres y mayores deleites se alcanzarán» (IV).

Las hijas de Juana, que «arrastraron seda y oro» y que «trajeron arrastrados algunos hombres», pueden verse como ecos distantes de la conducta licenciosa que se atribuye a Elicia y Areúsa. En otro plano interesa que, al definirse la relación de Juana con su amiga preñada, se nos avisa con deliberada ambigüedad: «Procuró tratar su negocio con Juana García, su madre, digo su comadre». En el texto de Rojas, por otra parte, Celestina se refiere a Claudina —la madre de Pármeno— como su comadre, y también insiste en el cariz indefinido de esa relación (I). Son numerosos los detalles que sugieren nexos entre *El carnero* y *La Celestina*.

---

[11] Los antecedentes de la figura celestinesca que en particular ofrecen las fuentes árabes, la comedia elegíaca y la literatura greco-romana en general, han sido admirablemente estudiados por María Rosa Lida de Malkiel, *ibid*, págs. 543-547. Refiriéndose a la figura celestinesca en la tradición hispánica, dice José Antonio Maravall: «La figura de la hechicera celestinesca, cuyos rasgos coinciden con los de una persona real que Talavera nos dice haber conocido en Barcelona, es frecuente en nuestros siglos XV y XVI, y es en ellos típico producto renacentista, de procedencia clásica e italiana, según los datos recogidos por Caro Baroja», *El mundo social de La Celestina* (Madrid, Editorial Gredos, 1964), pág. 129. Maravall se refiere a la obra de J. Caro Baroja *Algunos mitos españoles* (Madrid, Espasa-Calpe, 1941).

Así, también, la lujuria y la impaciencia de la embarazada tienen como precedente indirecto los siguientes razonamientos de Celestina: «No es cosa más propia del que ama que la impaciencia. Toda tardanza le es tormento» (III).

Al situarla en la tradición literaria, Juana García remite inclusive a tipos muy anteriores a la obra de Rojas. Los antecedentes primarios del personaje de Rodríguez Freyle surgen, con toda certeza, en la tradición de hechiceras negras que preceden a Celestina; antecedentes que reconoceríamos, por ejemplo en *El libro de los exemplos*. Y esas mismas funciones del personaje como intermediaria alumbrada están previstas, además, en *El libro de los engaños*, en el *Conde Lucanor* y aun en colecciones de mayor antigüedad [12]. Juana García es al mismo tiempo la transformación literaria de la negra bruja, que abunda, con sus múltiples variantes, en el folklore afrohispano del Caribe [13]. Pero, aunque la hechicera de Rodríguez Freyle surge de fuentes disímiles, Celestina es, indudablemente, su modelo primordial. Tanto el personaje como el relato del cronista pertenecen al subgénero celestinesco, que produjo a lo largo de

---

[12] La gama de esos antecedentes y motivos pueden verificarse en la obra de John E. Keller *Motif-Index of Medieval Spanish Exempla* (Knoxville, Univ. of Tennessee Press, 1949), págs. 12, 6, 35, 54.

[13] Ejemplos de ese tipo y sus variantes, tan frecuentes en el Caribe, aparecen tanto en la narración folklórica como en las creaciones literarias. Ver: Fernando Ortiz, «Cuentos afrocubanos», *Archivo del Folklore Cubano*, IV (1929), págs. 97-112; Rómulo Lachatañeré, «Las religiones negras y el folklorismo cubano», *Revista Hispánica Moderna*, IX (1943), págs. 138-143; Carlos A. Echanove, «La santería cubana», *Revista Bimestre Cubana*, LXXII, 1 (1957), págs. 21-35; Lydia Cabrera, *Cuentos negros de Cuba* (La Habana, La Verónica, 1940), y, de la misma autora, *El monte: igbo finda, awe orisha, vititi nfinda* (Notas sobre las religiones, la magia, las supersticiones y el folklore de los negros criollos y del pueblo de Cuba) (La Habana, Ediciones C. R., 1954).

siglos imitaciones numerosas, tanto en la narrativa de ficción como en la escena teatral[14].

El texto de Rodríguez Freyle no sólo retiene aspectos
propios de los personajes de Rojas, sino que incorpora también procedimientos notablemente afines a la escritura de la
*Tragicomedia*. En ese contexto, es necesario destacar que
las implicaciones eruditas elaboradas por Rojas y Rodríguez
Freyle fueron concebidas —en ambos casos— como finas de-
coraciones que incrementaban, en varios planos, la expresividad del texto[15]; son recursos que se observan, por ejemplo, en las agudas intervenciones de Calisto (VI) y Celestina
(IV); y con ese sesgo reaparecen en *El carnero*, aunque el
ejercicio retórico nunca alcanza igual efectividad en la narración de Rodríguez Freyle.

---

[14] En la narrativa propiamente dicha, esa sucesión de imitaciones
se verifica en *La Dorotea* de Lope de Vega, *La escuela de Celestina
y el hidalgo presumido; la ingeniosa Elena hija de Celestina*, ambas
de Jerónimo de Salas Barbadillo. Sobre los antecedentes históricos
de esa literatura y personajes, véase el minucioso estudio de William
C. McCrary *The Goldfinch and the Hawk: A Study of Lope de Vega's
Tragedy El caballero de Olmedo* (Chapel Hill, North Carolina Studies
in Romance Languages and Literatures, núm. 62, 1966), págs. 51-84.

[15] Esos procedimientos destinados a enriquecer el texto se apre-
cian, por ejemplo, en la pesquisa que lleva a cabo Rodríguez Freyle
al documentar crímenes famosos entre hermanos, que sirven como
puntos de referencia para su relato sobre don Juan de Mayorga (XXI).
Leemos: «Hermanos eran Tifón y Orsírides; pero Tifón cruel y tira-
namente quitó la vida a Orsírides, partiendo su cuerpo por veinticuatro
partes». Y en otra parte añade: «Hermanos eran hijos de Josaphat
y rey de Judea y uno de ellos llamado Jorán degolló a sus hermanos
por quitarles las haciendas». Además del *excursus*, la figura de la
*gradatio* —ampliada con matizaciones extensas— se utiliza aquí como
recurso que evoca los procedimientos de Rojas. Véase, por ejemplo,
IX, vol. II, pág. 38. Datos que por su cuenta desmienten la supuesta
incultura del cronista y el primitivismo que se ha imputado a su
texto.

> Apeles pintó a Campaspe, la amiga del magno Alejandro, y estándola pintando, como dicen sus historiadores, se enamoró de ella, y aquel príncipe se la dio por mujer.
>
> ...........................................................................................................
>
> Virgilio, príncipe de los poetas latinos, por adular al César romano y decirle que descendía de Eneas el Troyano compuso las Eneidas; y dicen de él graves autores (y con ellos a lo que entiendo San Agustín) que si Virgilio como fue gentil fuera Cristiano, se condenara por el testimonio que levantó a la fenicia Dido porque de Eneas el Troyano a Dido pasaron más de cuatrocientos años (XI) [16].

Siguiendo la pauta trazada por *La Celestina*, el relato de Rodríguez Freyre superpone con discreción magistral la invención de lo maravilloso sobre el hecho cotidiano; lo sobrenatural se trata en esta ocasión con la espontaneidad que de ordinario exhiben los relatos de la antigüedad clásica y las viejas colecciones hindúes y semíticas. Sólo que en *El carnero*, como en *La Celestina*, se insinúa también la noción renacentista que concibe la magia y las ciencias ocultas como una suerte de conocimiento empírico.

Refiriéndose al prestigio y vigencia que disfrutaban entonces esas ideas, José Antonio Maravall comenta que «Cassier entre otros ha presentado la magia renacentista como una primera y confusa etapa de la ciencia moderna, que no por eso deja de ser una etapa con signo positivo en la evolución de la ciencia» [17]. En *La Celestina*, como en el texto de Rodríguez Freyle, se conciben, pues, los poderes sobrenaturales como fuerzas que restituyen el equilibrio ne-

---

[16] Por otra parte, Rodríguez Freyle demuestra indirectamente sus vínculos con la teoría literaria de su tiempo, al refutar, con celo erasmista, la novela de caballerías: «pero los cronistas están obligados a la verdad. No se han de entender aquí los que escriben los libros de caballerías sacadineros, sino historias auténticas y verdaderas» (XI).

[17] Citado por J. A. Maravall, *El mundo*, pág. 152.

cesario y que, de hecho, compensan el efecto desconcertante de lo enigmático [18].

A otro nivel, en «Un negocio con Juana García» perduran resortes antiquísimos de la narración folklórica, por ejemplo el motivo de la preñez ilegítima, recogido tantas veces en colecciones fundamentales, como la *Disciplina Clericalis* y *El libro de los engaños y asayamientos de las mujeres* [19]. Así también se integra en la narración la presencia del objeto mágico —el lebrillo en este caso—, que aparece directamente vinculado a las propiedades maravillosas que desde la antigüedad se imputaron al agua (principalmente entre pueblos mesopotámicos) como sustancia que permitía acceso a lo insondable y misterioso [20].

En la utilización de motivos tradicionales, el viaje, como imagen de aspiración y búsqueda, reaparece en «Un negocio con Juana García», pero en planos desiguales: ocurre, ante todo, un desplazamiento físico en la persona del marido ausente, y a la vez el traslado imaginario, facilitado por el lebrillo. De ese modo se entrecruzan, por un instante, coordenadas disímiles de tiempo y espacio, aunque sin efectuarse, en este caso, transposiciones equiparables a las que ocurren en el ejemplo de don Illán, del *Conde Lucanor*.

---

[18] El relato, según las formulaciones de T. Todorov, correspondería a la categoría de lo «extraño maravilloso» que habitualmente representan las más antiguas colecciones hindúes, persas y egipcias. Es el tipo de narración que franquea los límites de la experiencia habitual, sin que por ello requiera explicaciones y sin que se produzca un estado general de incertidumbre o un cuestionamiento severo del suceso. Esas narraciones son, por lo general, hechos que resultan de un acto milagroso o de sistemas que rebasan nuestras posibilidades de intelección. Ver *Introducción a la literatura fantástica* (Buenos Aires, Tiempo Contemporáneo, 1972), págs. 33, 53.

[19] Keller, *Motif-Index*, pág. 35.

[20] Ver Juan-Eduardo Cirlot, *Diccionario de símbolos* (Barcelona, Labor, 1969), págs. 62-63.

Al evocar de nuevo el texto de don Juan Manuel, interesa señalar, por último, que la conclusión de «Un negocio con Juana García» conlleva un sentido de ruptura y desconcierto colectivo, que es, en realidad, otro viraje frecuente en la narración folklórica, y que tiene para nosotros su ejemplo más eficaz en «Los magos que fizieron paños», del *Conde Lucanor*[21].

## IV

Para completar el análisis ofrecido en torno a «Un negocio con Juana García», examinaré, además, otro fragmento de *El carnero,* que nos servirá para elucidar aspectos adicionales de la narración y acaso para caracterizarla con mayor exactitud. Con ese propósito he seleccionado un breve relato que se inserta en el quinto capítulo de la obra y que difiere considerablemente del que hemos considerado. El texto en cuestión se inicia discretamente con una paráfrasis descuidada de motivos bíblicos, que a su vez se tratan con el sesgo de la evocación legendaria. En términos generales, el encabezamiento de este capítulo sigue una fórmula expositiva similar a la que se utiliza en los demás. El narrador se expresa allí con su desenvoltura habitual:

> Después que aquel ángel que Dios crió sobre todas las jerarquías de los ángeles perdió la silla y asiento de su alteza por su soberbia y desagradecimiento, fue echado del reino de los Cielos juntamente con la tercera parte de los espíritus angélicos, que siguieron su bando, dándoles por morada el centro y corazón de la tierra...[22].

---

[21] Otras versiones mucho más antiguas, pero de gran interés, pueden verificarse en textos germanos del siglo XII e ingleses de los siglos XII y XIV. Véase el magnífico estudio de Archer Taylor «The Emperor's New Clothes», *Modern Philology*, XXV (1928), págs. 17-27.

[22] Con este mismo sentido paródico, pero cada vez con mayor li-

De ese modo la narración avanza desde una postura moralizante, que se hace progresivamente mordaz: «Desagradecimiento dizque fue culpa de Luzbel juntamente con soberbia. Está bien dicho, porque este ángel ensoberbecido quisiera y lo deseó tener por naturaleza la perfección y grandeza...». Como resultado de esas lucubraciones se suscita aquí, y en otros segmentos de la obra, la tópica del libre albedrío, que tanta resonancia tuvo en la creación literaria y en las relaciones históricas de los siglos XVI y XVII. «Colocado el hombre en el paraíso, y habiéndole dado Dios el mando y mero mixto imperio de todo como primer monarca, y con ello compañera que le ayudase, fue Dios dejándolos en mano de su albedrío» [23].

Esas amplificaciones menores del proceso narrativo —que parten del referente bíblico— conducen en este capítulo, como en el IX, a una expansión ligera del contenido anecdótico; se relaja, en particular, la postura que el relator adopta ante el texto:

> Eva, deseosa —dice el cronista— de ver el paraíso tan deleitoso, apartóse de Adán y fuese paseando por él; ¡y qué de materias se me ofrecen en este paseo! Pero quédense agora, que no le faltará lugar.

---

bertad, la narración se amplía: «Crió Dios al hombre formándolo del limo de la tierra, y hízolo a su imagen y semejanza; imagen por lo natural; semejante por lo gratuito. Infundiéndole un alma racional vistiéndola de la original justicia para que gozase, dándole asimismo el dote de la inmortalidad, con todos sus atributos» (V).

[23] La vigencia del tópico tiene aún mayor interés cuando se observa la visión providencialista de la historia que perdura en la historiografía americana. Es ésa la antítesis conceptual que gradualmente se convertirá en mero recurso formal de la narración histórica. Una observación similar podría hacerse sobre el tema de la fortuna, en el marco de la historiografía renacentista. Ver: E. Fueter, *Historia de la historiografía moderna* (Buenos Aires, Nova, 1953), pág. 26.

La glosa bíblica va quedando disuelta por frases que expresan la emotividad del narrador. El tono maliciosamente susurrado nos revela en seguida la presencia de un lector, que el narrador cultiva valiéndose de artificios expresivos, y no desde la ejemplaridad moralizante que se predica. Al debilitarse el montaje informativo de la narración histórica, se hace posible la aparición del diálogo y de hablantes figurados, que son susceptibles a la intriga común: las palabras adquieren, de ese modo, una soltura que identificaríamos con la prosa de ficción propiamente dicha.

> Puso Eva los ojos en aquel árbol de la ciencia del bien y del mal y enderezó a él; el demonio que le conoció el intento, ganóle la delantera y esperó en el puesto a donde, en allegando Eva, tuvieron conversación, y entre los dos repartieron las dos primeras mentiras del mundo, porque el demonio dijo la primera diciendo: «¿Por qué os vedó Dios que no comiésedes de todas las frutas de este paraíso?» Siendo lo contrario, porque una sola vedó Dios. La mujer respondió «que no le había quitado Dios que no comiesen de todas las frutas del paraíso, porque tan solamente les madó que de aquel árbol no tocasen». Segunda mentira, porque Dios no mandó que no tocasen, sino que no comiesen.

Aquí, la elaboración parafrástica facilita la inserción del ademán personalizado, que observamos particularmente en los tópicos del engaño y el misoginismo; motivos ésos que se habían desarrollado ingeniosamente en *El corbacho*, obra que, según Gabriel G. Jaramillo, Rodríguez Freyle debió de conocer[24]. Pero observemos también que los mismos temas dan lugar, en otras porciones de la obra, a la amplificación decorativa, que seguía cultivándose en la prosa novelada e historiográfica de la época. Éstas son acaso las pistas que van iluminando gradualmente la sutil codificación retórica

[24] «Don Juan...», pág. 585.

de un texto que algunos han juzgado como materia inculta
de la narrativa americana.

> La resulta de la conversación fue que Eva salió vencida y
> engañada, y ella engañó a su marido, con que pasó y quebrantó
> el precepto de Dios. Salió Lucifer con la victoria entonces, que-
> dando con ella hecho príncipe y señor de este mundo. *Qué caro*
> *le costó a Adán la mujer, por haberle concedido que se fuese*
> *a pasear;* y qué caro le costó a David el salirse a bañar Betsabé,
> pues le apartó de la amistad de Dios; y qué caro le costó a
> Salomón, su hijo, la hija del rey faraón de Egipto, pues su her-
> mosura le hizo idolatrar; y a Sansón la de Dalila, pues le
> costó la libertad, la vista y la vida; y a Troya le costó bien
> caro la de Helena, pues se abrasó en fuego por ella, y por Flo-
> rinda perdió Rodrigo a España y la vida.

La exposición casi legendaria de hechos procedentes de
las sagradas escrituras y otros textos determina ramificaciones imaginativas propias de la creación literaria; ese diseño
de ramillete, por decirlo así, establece una pauta característica del discurso en *El carnero.* Llega a ser tan obvia la
proyección creativa que asume el texto, como para que in-
tervenga un narrador que exterioriza allí su propia escritura
y que la contempla ante sus lectores.

> Paréceme que ha de haber muchos que digan: ¿qué tiene
> que ver la conquista del Nuevo Reino, costumbres y rito de sus
> naturales, con los lugares de la Escritura y Testamento viejo
> y otras historias antiguas? Curioso lector, respondo: que esta
> doncella es huérfana, y aunque hermosa [se refiere al Virreinato
> de Nueva Granada] y cuidada de todos, y porque es llegado el
> día de sus bodas y desposorios, para componerlas *es menester*
> *pedir ropas y joyas prestadas, para que salga a vistas; y los*
> *mejores jardines coger las más graciosas flores para la mesa*
> de sus convidados: si alguno le agradare, vuelve a cada uno lo
> que fuere suyo, haciendo con ella lo del ave de la fábula y esta
> respuesta sirva a toda la obra.

La transferencia de este asunto a un tenue plano alegórico, comprueba, a otro nivel, la expansión imaginaria que voy señalando: el narrador admite ahora la inserción consciente del ejercicio retórico: «Es menester —explica— pedir ropas y joyas prestadas» [25]. Es útil recordar, en este momento, que las conceptualizaciones que definen la función de cada disciplina no eran, en el siglo XVII, parte integral de la metodología historiográfica. Ésta es la razón de que Rodríguez Freyle —como el padre Murúa y el propio Inca Garcilaso— no sienta la necesidad de separar la formulación teológica de la creación literaria o del material histórico. Así se explica que libros prestigiosos, de eruditos y cronistas oficiales, se detuvieran para relatar las hazañas de demonios, milagros o apariciones, como si todos esos asuntos fuesen material de la relación histórica.

En su base, claro está, la historiografía cristiana asumía la totalidad de los hechos como expresión de la voluntad divina. De ahí que fuese posible esa percepción integral e indiscriminada que contempla el suceso particularizado como simple metáfora de un conocimiento superior al humano.

Entre las relaciones de los cronistas más cultivados comprobaremos que el diablo aparece repetidamente como el antagonista de todo un proceso histórico en marcha; es, sin más, el Anticristo, que inspira y respalda las herejías de los indios y se opone de mil maneras a la evangelización del Nuevo Mundo [26].

---

[25] Rodríguez Freyle, siguiendo un convencionalismo característico de la historiografía renacentista y barroca, admite tácitamente otros textos como referentes de su narración, pero sin mencionarlos como tales. Prefiere, sin embargo, referirse a la fábula conocida de todos, como antecedente específico de sus razonamientos. Esa misma actitud se observará en *El lazarillo de ciegos caminantes*, que trato en el capítulo siguiente.

[26] Son curiosas en ese sentido las alusiones que sobre estos temas

En *El carnero* se repiten esos ecos de la historiografía medieval, pero trasladados en esta ocasión a situaciones pintorescas y características de la sociedad virreinal. En el trance de esbozar los propósitos de la monarquía diabólica, el cronista agrega:

> Y estos naturales los indios americanos estaban y estuvieron en esta ceguedad hasta su conquista, por lo cual el demonio se hacía adorar por dios de ellos y que le sirviesen con muchos ritos y ceremonias, y entre ellas fue una correr a la tierra; y está tan establecida que era de tiempo y memoria guardada por ley inviolable, lo cual se hacía en esta manera.

El escenario americano provoca, en este fragmento, la reaparición de otro motivo que, según he repetido en páginas anteriores, alcanzó enorme difusión tanto en el folklore como en las letras coloniales: me refiero a las variadísimas leyendas sobre tesoros escondidos [27]. Centrado en esos temas, el relator circunscribe el proceso narrativo mediante una intensificación de la primera persona; se describen pausadamente los tesoros y altares que los indios escondieron en las lagunas de Guatavita, Guasca, Teusacá y Ubaque; y en párrafos sucesivos quedan enlazados, uno tras otro, fragmentos de leyendas regionales, que sitúan el discurso en el

---

hace el padre Joseph de Acosta en su *Historia natural y moral de las Indias*. Edición y estudio preliminar de Edmundo O'Gorman (México, Fondo de Cultura Económica, 1949). Comenta el cronista: «Porque el mismo Señor de los Cielos y de la tierra ordena semejantes extrañezas y novedades en el Cielo, elementos animales y otras criaturas suyas para que en parte sean aviso a los hombres, y en parte principio de castigo con el temor y espanto que ponen», pág. 139.

[27] La inmensa difusión de ese tópico se describe en las siguientes obras: Stith Thompson, *Motif-Index of Folk Literature*, 5 vols. (Bloomington, Indiana University Press, 1957). Y Gertrude Jobes, *Dictionary of Mythology, Folklore and Symbols* (New York, The Scare Crow Press, 1962), págs. 1593-1594. No conozco, sin embargo, estudios que traten las variantes americanas de ese tema.

plano imaginario de los hechos. El predominio del enunciado mimético es verificable, y hace que lo ficticio se vea como la posibilidad óptima de la escritura. Quiero decir que la lógica que sostiene el acto narrativo está cifrada en la función expresiva del enunciado como tal. Corroboramos una vez más las mutaciones de un lenguaje que convierte el marco de la historia en un referente cada vez más distante.

Al cumplirse esa transición, lógicamente ha de brotar el relato como la estructura que consagra, en toda su plenitud, el signo literario del discurso. Ese proceso de gestación no difiere, en general, del que señalé en el capítulo IX. Para lograr ahora su cometido, el narrador utiliza una fórmula que sugiere el falso carácter accidental del cuento: «No puedo —dice el cronista— pasar de aquí sin contar cómo un clérigo engañó al diablo».

Reducido a sus elementos básicos, el relato se construye en torno a la persona de Francisco Lorenzo, «cura doctrinero», a quien se conocía en los alrededores de Tunja como hombre pendenciero, «gran lenguaraz» y, sobre todo, por su habilidad para engatusar a los indios. Sabía tratarlos amablemente y «con ese anzuelo les iba pescando muchos santuarios y oro enterrado». En esas y otras andanzas conoció Lorenzo a un indio, «capitán de pueblo», que decía tener noticias sobre un valioso tesoro, y que por despecho las comunicó al clérigo. Sabemos luego que se trataba de las últimas posesiones de un viejo cacique; pero supo también Lorenzo que, para encontrarlo, tendría que engañar a un jeque[28] que custodiaba los bienes del cacique.

Con la idea de no despertar sospechas entre los indios de la parroquia, el clérigo emprendió la búsqueda del te-

---

[28] Vocablo que quiere decir jefe, pero que en este caso parece designar también a un individuo con dotes de hechicero.

soro, anunciando que saldría con sus ayudantes para cazar venados. Una vez en el campo, el cura no demoró el llegar a las tierras de labranza del cacique, y al merodear aquellos pueblos, no tardó en reconocer, sirviéndose de las noticias que le diera su informante, el bohío que pertenecía al jeque. Seguro de haber dado con lo que buscaba y para no provocar la desconfianza de los vecinos, el clérigo se mantuvo alejado de aquellos lugares durante varios días. Además, para encubrir mejor sus propósitos, ordenó que sus acólitos y alguaciles enterrasen cruces en los caminos de aquella región, y que la mayor de todas se colocara sobre una cueva escondida entre peñascos; sitio en que, según él, había descubierto «milagrosamente» otros tesoros.

Aprovechando una noche oscura, Lorenzo, seguido de sus fieles, visitó ceremoniosamente las estaciones que designaban las cruces. Cerca ya de los bohíos, indicó a los alguaciles que apagaran las antorchas y que le esperasen allí mientras «él iba a rezar» a los puntos convenidos. Pero, en vez de hacer lo que había prometido, tomó el camino que le llevaría al bohío del jeque, y allí pudo cerciorarse —al oírle mascar hayo (coca) y hacer ruidos con sus calabacillos— de que el brujo estaba en casa. Enterado de las ceremonias que practicaban aquellos hechiceros para comunicarse con el diablo, el clérigo, sin vacilar un instante, trepó a un árbol que protegía la casucha del jeque. Encaramado en las ramas, el cura le llamó, haciéndose pasar por el demonio.

Al primer llamado calló el jeque; al segundo respondió diciendo: «Aquí estoy, señor, ¿qué me mandas?» Respondióle el padre: «Aquello que me tienes guardado, saben los cristianos de ello, y han de venir a sacarlo, y me lo han de quitar; por eso llévalo de ahí». Respondióle el jeque: «¡Adónde lo llevaré, señor?», y respondióle: «A la cueva del pozo», porque al pie de ella había uno muy grande, «que mañana te avisaré adónde

le has de esconder». Respondió el jeque: «Haré, señor, lo que
me mandas». Respondió, pues: «Sea luego, que ya me voy».

Concluido el diálogo, Lorenzo observó que el brujo iba
y volvía con abultadas cargas a cuestas. Sin embargo, al
quinto viaje notó el cura que el jeque se demoraba más de
lo usual, y, al seguirle, le oyó decir los rituales propios de
la ocasión. Comprendió entonces que el tesoro se había
trasladado a la cueva del pozo. Satisfecho de su treta, el
clérigo regresó al sitio en que le esperaban sus acompañantes y, guiándoles con antorchas encendidas, los condujo a la
cueva milagrosa, donde, al parecer, sus ruegos le permitieron el descubrimiento de ollas repletas de figurillas y amuletos de oro. Al concluir su relato, el narrador retoma la
postura descriptiva con que empezó su relación y nos aclara
lo siguiente: «Todo lo que había era de oro, que aunque el
padre Francisco Lorenzo declaró y manifestó tres mil pesos
de oro, fue fama que fueron más de seis mil pesos».

Los antecedentes del relato que he resumido pueden lo-
calizarse sin mayor dificultad. Las funciones primordiales
del cuento remiten, por ejemplo, al apólogo intitulado «El
hombre falso y torpe» que aparece en el *Calila e Digna* [29].
E indirectamente ese relato se vincula también a un vasto
repertorio de narraciones que en la Edad Media tomaron
la misoginia, las leyendas demoníacas, la avaricia y el engaño
como los resortes primarios de su organización. La estructura misma del relato, la exposición directa del material
anecdótico y la imagen unidimensional de los personajes se
remontan a los esquemas elementales que hemos conocido
en innumerables ejemplarios medievales. Sólo que, en este

---

[29] Verifíquese en la magnífica edición de los profesores John E.
Keller y Robert E. Linker, *El libro de Calila e Digna* (Madrid, Consejo
Superior de Investigaciones Científicas, 1967), págs. 118-119.

capítulo, los conceptos y motivos que sirven de marco al núcleo de ficción aparecen arbitrariamente diseminados y libres ya de los formulismos herméticos que los atan en los *exempla*[30]. Pero, aunque así sea, el desenlace del cuento retiene, por lo menos en parte, el latiguillo moralizante y satírico que se recrudecen en los *exempla* tardíos.

El relato es, en esta ocasión, como en el capítulo IX, el núcleo aglutinante; de hecho es el foco que integra en la estructura narrativa los motivos y conceptos que permanecían dispersos en las etapas iniciales del capítulo. Sucede entonces que, al quedar asimilados todos los componentes en el ensamblaje orgánico del cuento, percibimos una realidad que nos habla por sí misma. La ficción es ahora la unidad que resume y ordena imaginativamente el espacio historiable. Visto con un sentido pragmático, el cuento hace transmisible un plano de la experiencia histórica que de ordinario se extravía en el tumulto apocalíptico de la crónica. Pero debemos reconocer que la efectividad de ese mensaje concentrado sólo es posible cuando la palabra ha trascendido abiertamente su función denotativa.

## V

En resumen, ambos relatos constituyen una reelaboración creativa de textos literarios y motivos folklóricos que

---

[30] Ese resorte de entrada es común a los mecanismos de la digresión, tanto en la prosa de ficción como en la historiografía. El Inca Garcilaso, por ejemplo, utiliza el mismo recurso muchas veces: «Otro cuento semejante se me ofrece» (I, III, cap. XXV). Y en otra parte repite: «Añadiré dos cuentos...» (I, VIII, cap. XXIII). Lo curioso es que la aparición, casi siempre abrupta, de esa fórmula introductoria hace pensar que el relato es un apéndice fortuito. Y, según se ha visto, no siempre es así.

están en los cimientos más profundos de nuestro sincretismo cultural. Para ilustrarlo, pensemos por un instante en algo que quizá hemos visto como un detalle pasajero. En el texto del Inca Garcilaso, el negro apenas se describe; más aún, su imagen se proyecta como un simple disfraz. Pero, en «Un negocio con Juana García», está confirmada —desde los planos más íntimos del proceso cultural— la presencia del negro como factor básico de un nuevo contexto social. No hay legajos en el mundo que puedan revelarnos ese hecho con la misma efectividad que alcanza el relato; porque «Un negocio con Juana García» y otras narraciones similares no sólo iluminan los acontecimientos elegidos, sino que la redacción de los mismos llega a transformarlos en vivencias inolvidables.

Desde la creación verbal hemos observado cómo viejas sustancias de culturas dispares se precipitaron en América para engendrar visiones inusitadas de la realidad circundante. Estos son hechos históricos que a la postre han tenido su verificación más convincente en el marco de la escritura ficcionalizada. Además, la exploración textual nos ha servido para corroborar la sustantividad literaria de *El carnero*, hecho que permitirá en el futuro una percepción más ajustada de los valores que el libro encierra.

CAPÍTULO IV

## EN EL AZAR DE LOS CAMINOS VIRREINALES: RELEC-TURA DE *EL LAZARILLO DE CIEGOS CAMINANTES*

Siempre me ha parecido desconcertante la imagen que la crítica ha configurado de *El lazarillo de ciegos caminantes* (1773). Es habitual designarle, entre otras cosas, como 'el libro de los misterios'; pero me apresuro a indicar aquí que la supuesta misteriosidad de la obra alude a los antecedentes y composición de la misma, y no a la secuencia episódica como tal[1]. Hoy, el libro, con su tropel de arrias, chismes de viajeros y el embrollo de los correos virreinales, no suele provocar el entusiasmo del lector medio. Se trata

---

[1] El valioso libro recién publicado por don Emilio Carilla se titula precisamente *El libro de los «misterios»: «El lazarillo de ciegos caminantes»* (Madrid, Gredos, 1976). En un importante artículo de Marcel Bataillon, al enumerar las vicisitudes del libro, decía que, a pesar de menciones bibliográficas y algunas ediciones, el *Lazarillo* «continuó siendo un libro raro». «Introducción a Concolorcorvo y su itinerario de Buenos Aires a Lima», *Cuadernos Americanos*, XIX (1960), pág. 197. Las citas del texto provienen de la edición preparada por Carilla, que es, a todas luces, la mejor y más informativa (Barcelona, Labor, 1973). He preferido indicar los capítulos en vez de las páginas; lo hago así pensando en los que manejan otras ediciones. Sin duda alguna, todos los que estudiamos hoy la obra de Carrió de la Vandera estamos en deuda con el profesor Carilla.

de una narración carente de asonancias sugestivas y construidas sobre un hilo que se fragmenta y bifurca con sorprendente facilidad. Diría, a propósito, que amplios sectores del *Lazarillo* aparecen ante nosotros como láminas descoloridas y abrumadas por testimonios ocasionales de la época[2]. Creo que de este modo lo vería el simple lector curioso, pero no piensan así los que han escudriñado la obra. Casi obsesivamente se han trabajado los aspectos externos de la narración: la identidad de su autor y relatores, así como las fechas y circunstancias en que se compuso y publicó el libro[3]. También se han emitido —aunque con escasa fortuna— juicios literarios sobre la ubicación genérica del *Lazarillo*. Pero han sido casi siempre ejercicios destinados a encasillar la obra en el marco de nomenclaturas tradicionales[4]. Con toda claridad los resultados de esa labor indican

[2] Ver caps. I y VII, entre otros. La obra se ha descrito como un gran monumento de las letras americanas. Pero compréndase de una vez y por todas que el libro no es fruto de una elaboración exquisita, ni mucho menos. A veces deja la impresión de un pedestre registro de propiedades o intercambios. Existen, eso sí, algunos trozos muy sugestivos, que cito a continuación: y es, además, un libro que en su concepción general se apoya más de una vez en obras de creación. Para mí, la indiscutible importancia del texto radica primordialmente en su amplio sentido testimonial. Estimo que el *Lazarillo* anticipa con inusitada precisión derroteros que seguirá la literatura hispanoamericana durante muchos años.

[3] Todo lo relacionado con las fechas de publicación y trayectoria del libro lo documenta Carilla en su mencionado estudio; véanse páginas 38-45.

[4] Incluso una mente tan aguda como la de Uslar Pietri accede a la generalización, ya habitual, de afirmar que el *Lazarillo* es un próximo pariente de la novela picaresca. Ver *Breve historia de la novela hispanoamericana* (Caracas, Editorial Edime, 1955), pág. 39. Otros juicios imprecisos de Fernando Alegría y Richard Mazzara los ha refutado Carilla apoyándose en razones muy convincentes. *El libro*, págs. 50-53.

Para conocer los antecedentes de la novela hispanoamericana, consúltese el importante estudio de Roberto Esquenazi-Mayo «Raíces de

que el texto no puede reducirse fácilmente a las exigencias de una lectura predeterminada. Todo lo que sabemos sobre la narración del Visitador Carrió de la Vandera[5] nos demuestra que en el *Lazarillo* confluyen tradiciones escriturales que a duras penas podrían reducirse a una tipología identificable[6]. Dicho de otra manera: el texto debe leerse como una pluralidad que apunta hacia significados disímiles. De ahí el signo a veces equívoco —y mal calibrado— que la narración proyecta. Pienso que, en varios órdenes, esa organización multifacética del texto sugiere indirectamente su importancia histórico-literaria, ya que en el *Lazarillo* queda establecido un espacio en el que se inscriben formas primordiales, pero muy dispares, de nuestra expresión cultural[7]. Mi lectura se sitúa precisamente en esa dimensión plurali-

la novela hispanoamericana», *Studi di letteratura ispanoamericana* (Milano) II (1969), págs. 92-126.

[5] Las investigaciones de José Torres Revello, F. Mojardín, Raúl Porras Barrenechea, Bataillon y posteriormente las de Carilla, señalan al funcionario de correos don Alonso Carrió de la Vandera (o Bandera) como el indiscutible autor del *Lazarillo;* pesquisas que Carilla ha resumido detalladamente. Ver *El libro*, págs. 7-31.

[6] Sorprende la postura insistente de los que han pretendido una clasificación exacta del texto. Acaso no se ha valorado la obra correctamente, porque casi siempre hemos querido leerla según lo que parecía, y no por lo que es. De esa índole es la lectura que ofrece María Casas de Fauce en *La novela picaresca latinoamericana* (Madrid, Alianza, 1977), págs. 26-28; libro que, en otros órdenes, puede ser útil. Más exacto es el trabajo de Raúl Castagnino «Concolorcorvo, enigma aclarado», en *Escritores hispanoamericanos* (Buenos Aires, Nova, 1971), págs. 117-132.

[7] Me refiero, por ejemplo, a las peculiaridades del lenguaje en el *Lazarillo*, que por sí solas iluminan un estado de transición social, la penetración de la cultura francesa y las curiosas supervivencias de formas arcaicas que han distinguido al español de América. En otras partes de este estudio considero las tipologías literarias que expanden esa dimensión testimonial del *Lazarillo*. Ver, en el estudio de Carilla, páginas 80-89, y, en el texto, el cap. XVII.

zada del discurso, para, desde ella, proponer una caracterización formal del texto, y también para explicitarlo en su entorno cultural e historiográfico.

## I

En todas las épocas *El lazarillo de ciegos caminantes* fue valorado como una fuente documental de utilidad inmediata. Entre muchos, el marinero español José de Espinosa y Tello —según verificaciones de Carilla— lo cita al referirse, por ejemplo, a los gauderios y al describir Montevideo[8]. Fue aprovechado hasta en curiosas relaciones que figuran en el Registro Hidrográfico español[9]. Y sabíamos que Sarmiento lo consultó más de una vez y que lo cita en sus *Viajes* y otros textos[10]. Con propósitos desiguales se sirvió del libro Ricardo Palma, y también lo comentó Ventura García Calderón, por mencionar sólo dos escritores reconocidos[11]. En épocas recientes, y con otro criterio, Arturo Uslar Pietri ha llegado a tildarlo de libro «subversivo»[12].

---

[8] *Ibid.*, pág. 135. Allí se enumeran esas y otras relaciones que están en deuda con el *Lazarillo*.

[9] José Torre Revello, «Un trotamundo español de fines del siglo XVIII», *Síntesis*, III (1940), págs. 50 y sigs.

[10] *Obras*, XXXVIII (Buenos Aires, Librería Hachette, 1900), página 178.

[11] Ricardo Palma, *Tradiciones peruanas* (Madrid, Aguilar, 1961), páginas 203 y 508. Ventura García Calderón, como Palma, vio en Concolorcorvo al autor. Ver *El lazarillo de ciegos caminantes* (París, Biblioteca de Cultura Peruana, 1938), págs. 8-9. Opiniones de esa índole han determinado la confusión y el cariz polémico que se atribuía a la obra de Carrió.

[12] *Breve historia*, pág. 39. De alguna manera, Uslar Pietri lo considera como libro que anuncia el proceso revolucionario. Carilla no lo ve así, pero el juicio del escritor venezolano no es desdeñable. El *Lazarillo* documenta ampliamente un proceso de decadencia política

Sería ingrato y de poca utilidad enumerar otros juicios similares, que el libro ha ocasionado. Si han sido tan variadas las opiniones a que la narración incita, es debido a la naturaleza plurivalente de la misma. Pero, aunque así es, el *Lazarillo* ha mantenido, en términos generales, el discurso lineal de la relación histórica, sólo que ampliándola con los vericuetos y proliferaciones propias de los libros de viajeros; libros que alcanzaban entonces una enorme difusión en todo el mundo occidental. Al comentar esa boga, ha dicho Carilla:

> En resumen, defiendo que la verdadera fisonomía de *El lazarillo de ciegos caminantes* corresponde a un 'libro de viajes' de acuerdo a una literatura entonces nutrida y con muchos de sus caracteres inconfundibles. El hecho de que el *Lazarillo* agregue matices especiales y, sobre todo, de que sea una obra viva... le da un título mayor de supervivencia, pero no altera —repito— su predominante sello genérico [13].

Más adelante, sus juicios concluyen de este modo:

> Por último, la denominación de 'libro de viaje' no restringe las posibilidades novelescas de una obra. El carácter de 'viajes extraordinarios' suele ser, en principio, base de esa posibilidad. Precisamente, Carrió menciona en el prólogo de su libro la *Peregrinação* del portugués Fernão Méndez-Pinto (¿1510?-1583).

---

e institucional, y refleja de una manera vívida la tensa división de clases que ya no podía resolverse en el marco hermético de los virreinatos. Tangencialmente, el libro pone en evidencia la infiltración del racionalismo liberal que gestó la Revolución francesa; infiltración que se había afincado en las ideas de maestros influyentes de la Universidad de Chuquisaca. Institución, por cierto, que debió conocer Carrió (cap. XVIII), y que se había destacado por su rango liberal. Cierto es que el Visitador no asume una postura revolucionaria, pero su testimonio detallado no oculta la inestabilidad de estructuras sociales agotadas.

[13] *El libro*, pág. 55.

obra muy difundida en pasados siglos, que cumple con ese requisito [14].

En general, esos razonamientos son válidos. Pero ocurre que un repaso detenido de los antecedentes formales del *Lazarillo* no revela, con la precisión deseada, ese «sello genérico» a que alude el erudito argentino. Apenas si existen estudios analíticos que identifiquen las peculiaridades estructurales del 'libro de viajes', a pesar de la inmensa tradición que respalda a esa literatura [15]. Será acaso, como indica el mismo Carilla, por la flexibilidad inherente al libro de viajes y dado que «sus posibilidades novelescas» son, en efecto, ilimitadas. Más que la *Peregrinação* mencionada por el Visitador Carrió, se destaca, como posible modelo del *Lazarillo, La relation des voyages du Sr. Acarette dans la rivière de la Plata, et de la terre au Perou et relations de divers voyages curieux* (1672) [16]. Pero, además, sobre el área

---

[14] *Ibid.* Cabe suponer también que Carrió conocía la *Peregrinación de Bartolomé Lorenzo* (1666), que elaboró el padre Acosta y a la que me he referido en el capítulo inicial.

[15] Al considerar los rasgos formales de esa narrativa, pienso en las observaciones y comentarios que sobre ella aparecen en el libro de Percy G. Adams *Travellers and Travel Liars, 1600-1800* (Berkeley, University of California Press, 1962) y también en los siguientes: R. W. Frants, *The English Traveler and the Movement of Ideas, 1660-1732* (Lincoln, University of Nebraska Press, 1967). Además he consultado: Hans-Joachim Possin, *Reisen und Literatur: Das Thema des Reisens in der Englischen Literatur das 18. Jahrhunderts* (Tübingen, Max Niemeyer Verlag, 1972). Possin estudia, por ejemplo, el tema de los viajes en Buyan, Addison, Defoe, Fielding y de Beckford en España y Portugal. Interesa el primer capítulo, que el autor dedica a «The Essence and Form of Travel in Literature». Y la obra de Phillip B. Gove *The Imaginary Voyage in Prose Fiction. A History of its Criticism and Guide for its Study, with an Annotated Check List of 215 Imaginary Voyages from 1700 to 1800* (New York, Columbia University Press, 1941).

[16] Hay traducción española de Francisco Fernández Wallace (Buenos Aires, Librebía Hachette, 1943).

rioplatense se escribieron otros libros que sin duda prefiguran algunos lineamientos generales del *Lazarillo*.

No pueden olvidarse, por ejemplo, el *Derrotero y viaje a
España y las Indias* de Ulrico Schmidel, generalmente conocido bajo el título de *Viaje al Río de la Plata* (1534-1554), y
las curiosas relaciones del paraguayo Ruy Díaz de Guzmán,
*Anales del descubrimiento, población y conquista de las pro-
vincias del Río de la Plata* (¿1612?). Mejor conocidos aún son
los *Comentarios* (1555) de Alvar Núñez Cabeza de Vaca, escritos por Pero Hernández; libro oportuno, ya que en su
composición anticipa aspectos de la estrategia narrativa
desarrollada en el *Lazarillo*. En los *Comentarios* de Alvar
Núñez, como en el texto del Visitador Carrió, se emplea un
narrador que evoca la postura del Inca Bustamante, ya que
es, a un mismo tiempo, hablante figurado y persona histórica [17]. En los *Comentarios* sobresale, además, una proyección individualizada y polémica, muchas veces reconocida en
fragmentos del *Lazarillo* [18]. Pero supongo que, al consignar
esos y otros procedentes, lo haremos siempre con alguna
incertidumbre, porque —entre otras razones— apenas cono-
cemos con la amplitud necesaria las lecturas que disfrutó
el Visitador. Y, aun conociéndolas, sería indispensable practicar un cotejo minucioso, que obviamente está fuera de los
objetivos que ahora me propongo [19].

---

[17] De Pero Hernández es también la *Relación de las cosas sucedi-
das en el Río de la Plata* (1547). No he tenido a mano esa edición,
pero sí abundantes referencias a ella.

[18] La semejanza más directa, además de la intervención de un
hablante figurado, se da en las refutaciones muy personalizadas que
distinguen a los *Comentarios* de Alvar Núñez.

[19] Las alusiones a la historia de América indican lecturas quizá
más amplias que las documentadas hasta hoy. El mismo Carilla sos-
pecha, y con razón, que el Visitador conocía bastante bien la obra
de Montesquieu. *El libro*, pág. 99.

Aunque no se hayan establecido todos los posibles textos precursores, me parece obvio que el *Lazarillo* es, en varios planos, una ramificación ampliamente matizada de la crónica virreinal [20]. Como también lo fueron, en otras proporciones, los *Infortunios de Alonso Ramírez* (1680) de Carlos Sigüenza y Góngora, y *El carnero*, según ya he señalado. Es cierto que el *Lazarillo* no asume todas las prerrogativas y temas que habitualmente desarrolla la crónica americana, pero tampoco los abandona de plano. Tal vez es ésa la razón por la que algunos, excediéndose, ven en el narrador otro «cronista de la colonia» [21].

Al igual que las relaciones tardías, la obra de Carrió se empeña en un registro de sucesos efímeros, y hasta termina por disponerlos mediante enlaces anecdóticos y personalizados. Pero, aunque así sea, en el *Lazarillo* todavía resplandecen los grandes acontecimientos y tópicos de la Conquista. Son temas evocados más de una vez por el fervor polémico, pero narrados casi siempre con la inclinación mordaz que distingue a la prosa de Carrió:

> Estos grandes hombres fueron injustamente perseguidos de propios y extraños. A los primeros no quiero llamarlos envidiosos, sino imprudentes, en haber declamado tanto contra unas tiranías que, en realidad, eran imaginarias, dando lugar a los envidiosos extranjeros para que todo el mundo se horrorice de su crueldad. El origen procede desde el primer descubri-

---

[20] Pienso, además, en las relaciones de Jorge Juan y Ulloa, en libros como *Varios viajes a la mar del Sur y descubrimientos de las islas de Salomón* (1606) de Alvaro de Mendaña, o las relaciones mismas de Fray Antonio de la Calancha, que ya he mencionado.

[21] El juicio es de Eduardo J. Bosco, en *El gaucho* (Buenos Aires, Emecé Editores, 1947). Otras noticias y comentarios interesantes aparecen en el ensayo de Alberto Salas *Relación sumaria de cronistas, viajeros e historiadores hasta el siglo XIX*. Recogido en *Historia argentina*, al cuidado de Roberto Levillier (Buenos Aires, Emecé Editores, 1968).

miento que hizo Colón de la isla Española, conocida hoy por
Santo Domingo. Colón no hizo otra cosa en aquellas islas que
establecer un comercio y buena amistad con los príncipes y
vasallos de ellas (XVI).

Veremos que el conocimiento de las primeras relaciones
americanas se infiltra en la redacción de Carrió para oca-
sionar, con frecuencia, formas irregulares de la parodia historiográfica. Es un hecho que puede verificarse en el capítulo
que acabo de citar.

> Formó Colón —sigue diciendo el relator— un fuertecillo de
> madera y dejó en él un puñado de hombres para que culti-
> vasen la amistad con los caciques más inmediatos, dejándoles
> algunos bastimentos y otros efectos para rescatar algunos del
> país para su cómoda subsistencia hasta su vuelta[22].

Seguidamente el narrador formula alusiones precisas, en las
que con toda seguridad se refiere al padre Las Casas:

> A los piadosos eclesiásticos que destinó el gran Carlos I, Rey
> de España, les pareció que este trato era inhumano, y por lo
> mismo escribieron a la corte con *plumas ensangrentadas*, de
> cuyo contenido se aprovecharon los extranjeros para llenar sus
> historias de dicterios contra los españoles y primeros conquis-
> tadores[23].

Carrió aún padecía —como muchos de sus predecesores—
las adhesiones vehementes que suscitaron, a lo largo de los

---

[22] Todo parace indicar que esa reconstrucción de los hechos iniciales del descubrimiento y la conquista se hace a partir de la noti-
cia que dio Gómara en su *Crónica General de Indias*, libro que alcanzó
gran difusión tanto en Europa como en América. Sabemos que Carrió
aprovechó noticias de esa y otras relaciones. Ver cap. VIII.

[23] Con la frase «plumas ensangrentadas» se refiere aparentemente
a la *Brevísima relación de la destrucción de las Indias* (1540) del
padre Las Casas. Consúltese el resumen que allí aporta Carilla de esos
asuntos polémicos (cap. XI). La cursiva es mía.

siglos, los hechos de la Conquista. Visto así, su texto es un ejercicio mimético, y también una extensión del discurso polémico que inauguraron los historiadores de Indias y sus apologistas. Con escaso espíritu crítico, Carrió defenderá a ciegas la empresa española en América; pero, al hacerlo, sus razonamientos incidirán en lo grotesco y hasta en la ridiculez mórbida [24]. Pondrá en boca de un indio (Concolorcorvo) frases torcidas acaso por la ingenuidad: «No es capaz español alguno de engañar a un indio» (XIX). En otros capítulos, con igual descuido, hará posible que Concolorcorvo llegue a defender la misma Conquista que ha sumido a su pueblo en el vasallaje (XVI).

Comprobaremos de una u otra forma que la mayoría de los comentarios que la relación dedica a los indios se hacen eco de las frustraciones motivadas por la incomprensión y otros prejuicios muy agudizados, por cierto, en las últimas etapas del período colonial.

> Cierto capitán de la compañía volante, de cuyo nombre no me acuerdo —dice el narrador en el capítulo XIX—, pero sí del apellido, Berroterán, a quien los indios bárbaros decían Perrotán, fue varias veces engañado de las promesas que le hacían éstos, atendiendo a la piadosa máxima de nuestros Reyes, que encargan repetidas veces se conceda la paz a los indios que la pidieren, aunque sea en medio del combate y casi derrotados, fiados éstos en la benignidad de nuestras leyes. Engañado, vuelvo a decir, repetidas veces de estos infieles, se propuso hacerles la guerra sin cuartel, y así, cuando los indios pedían paz, el buen cántabro interpretaba pan, y respondía que lo tomaría para sí y sus soldados, y cerraba con ellos con más ímpetu, hasta que llegó a aterrorizarlos y desterrarlos de todo aquel territorio (XIX).

---

[24] Ver cap. VIII. En las notas de ese capítulo se resumen algunas polémicas que ese detalle soez ha suscitado en obras de cronistas muy disímiles.

Desde su narrador-amanuense, Carrió conceptualiza la historia americana a partir, sobre todo, de los cronistas tardíos. Toma sus datos de las relaciones de Herrera y Antonio de Solís, aunque es obvio que también consultó a Zárate, al padre Acosta y, muy atentamente, al Inca Garcilaso[25]. Pero, al valerse de esas noticias que le proporcionan las crónicas, tergiversa la historia, confundiendo, por ejemplo, a Manco Cápac con Atahualpa. Y rara vez —como ha señalado Marcel Bataillon— encontrará en Cuzco u otros sitios monumentos o razones que le induzcan al elogio de la civilización incaica[26]. Siguiendo la trayectoria que le sugería su vocación de narrador, Carrió acudió principalmente a las crónicas de mayor contenido literario. En otro orden, su texto asimila casi indiscriminadamente muchas de las noticias que dieron a conocer Jorge Juan y Antonio de Ulloa en la *Relación histórica* (1748); y, llevado por razones personales, refutará Carrió noticias que habían aportado los textos del abate Raynal[27].

Su interés por el significado y la raíz etimológica de voces americanas es también la recuperación paródica de temas y procedimientos que abundan en las principales crónicas de Indias. Al ocuparse de la significación de vocablos importantes, Carrió reproduce la preocupación filológica ante el texto, que distingue a Fernández de Oviedo, a Las Casas, al Inca y a otros cronistas prestigiosos:

---

[25] Referencias directas o implícitas al padre Acosta aparecen en el cap. VII. Ver las notas. Al Inca Garcilaso se refiere con toda claridad en su mención de los *quipus,* cap. XV. La importancia de las *Décadas* de Herrera como fuente del *Lazarillo* la documenta Carilla más de una vez. Señalo, por ejemplo, el cap. XVI.

[26] Véanse principalmente los caps. XV y XVI.

[27] Me refiero a la *Histoire philosophique et politique des établissements et du commerce des européens dans les deux Indes* (1770).

> Pidiendo unos soldados de Cortés forraje para sus caballos y viendo los indios que aquellos prodigiosos animales apetecían la yerba verde, recogieron la cantidad de puntas de plantas que hoy llamamos maíz y al tiempo de entregar sus hacecillos dijeron: *mahí, señor,* que significa: «toma, señor», de que infirieron los españoles que nombraban aquella planta y a su fruto maíz, y mientras no se hizo la cosecha, pedían siempre los soldados maíz para sus caballos... (XVI)[28].

No es mi propósito ofrecer ahora una catalogación exhaustiva de esos fragmentos que documentan la proximidad entre el *Lazarillo* y la historiografía de Indias. Es evidente, en muchos sectores, que pasajes numerosos de las crónicas se mantienen como referentes expresivos y temáticos del *Lazarillo;* y puede advertirse que, además de esas relaciones bastante precisas, la narración practica un cuestionamiento de sus fuentes que nos recuerda la postura mantenida por Bernal Díaz y el mismo Inca Garcilaso. Sólo que, en el *Lazarillo,* esa preocupación de cariz erudito suele provocar la matización satírica y locuaz.

Pero esos antecedentes no implican que el marco historiográfico del *Lazarillo* esté exclusivamente supeditado a las relaciones de Indias. Repárese que, para satisfacer las exigencias que planteaba la naturaleza equívoca de su texto, Carrió contrapone ligeramente tipologías narrativas que encierran visiones muy disímiles del pasado:

> Supuesta, pues, la incertidumbre de la historia, vuelvo a decir, se debe preferir la lectura y el estudio de la fábula, porque siendo ella parte de la imaginación libre y desembarazada, instruye y deleita más (I).

---

[28] Para comprender la vigencia de esos temas en el *Lazarillo,* conviene leer los comentarios que aparecen a lo largo del capítulo VII.

Y allí, en el mismo tono, alude a su propio texto al decir:

> Los viajeros (aquí entro yo), respecto de los historiadores,
> son los mismos que los lazarillos, en comparación de los ciegos.
> Éstos solicitan siempre unos hábiles zagales para que dirijan
> sus pasos y les den aquellas noticias precisas para componer
> sus canciones, con que deleitan al público y aseguran su subsis-
> tencia. Aquéllos, como de superior orden, recogen las memo-
> rias de los viajeros más distinguidos en la veracidad y ta-
> lento (I).

Estas alusiones, al parecer casuales, subrayan, de paso,
la concepción ambivalente que se insinúa en el texto de
Carrió. La suya es una escritura aún sujeta al propósito
informativo, pero encaminada discretamente hacia las revelaciones que nos asegura la creación literaria. Es cierto que
sus observaciones sobre los hechos ocurridos serán a veces
imprecisas, pero no del todo. Valorando el libro en su totalidad, observamos que en el *Lazarillo* se procura la aplicación del discurso a la circunstancia pragmática, según pro-
puso Montesquieu [29]. Apartándose de la tradición hispánica,
su concepción de la narrativa histórica excluye los designios
providenciales del acontecer; se hace visible de ese modo
la orientación laica, brillantemente definida por Voltaire en
su *Essai sur les moeurs* y que se autoriza —al mismo tiempo— en el análisis preciso de la causalidad y de los materiales utilizados.

Aunque incapaz de tales refinamientos metodológicos,
Carrió se aproximó a un sistema de redacción frecuente en
la historiografía del enciclopedismo racionalista. Su proceder
llega más de una vez a la presentación estadística de los

---

[29] El cuestionamiento que hace Carrió de la obra del padre Mariana
deja entrever algo de su visión pragmática, pero a la vez ambigua,
de la labor historiográfica. Al referirse al famoso historiador, lo distingue curiosamente por su «exactitud e ingenuidad» (cap. I).

hechos, y también se esmera por conseguir la compleja simultaneidad descriptiva, favorecida por Voltaire y Montesquieu; simultaneidad que, a su vez, invita a la digresión ilustrativa y otras amplificaciones complementarias del discurso [30]. Los nuevos procedimientos historiográficos vigentes en aquellos años aconsejaban la descripción precisa de las costumbres, usos y todas las formas —por pedestres que fuesen— de la actividad económica y cultural. Y ese criterio es acaso responsable de muchos fragmentos áridos que hoy le reprochamos al *Lazarillo*.

Conforme a ese sistema de verificaciones se había redactado un texto importante que Carrió conocía y que, al parecer, le irritaba. Me refiero, claro está, a la *Histoire philosophique et politique des établissements et du commerce des Européens dans le deux Indes* (1771). En ella quedaba implantado el sentido de *rerum gestarum* glorificado en las relaciones clásicas; sentido que el historiador iluminista retomó desde un empirismo arbitrario y encaminado hacia causalidades más estrictas y la descripción progresiva del desarrollo económico y social [31]. Fue, paradójicamente, ese sentido utilitario de la historia el que, a su vez, motivó el

---

[30] Las aportaciones generales de ambos historiadores las resume E. Fueter en *Historiografía moderna* (Buenos Aires, Nova, 1953), I, páginas 34-56.

[31] Se pensaba entonces, como hoy, que la historia debía superar metodológicamente las desventajas que sufría al ser comparada con las ciencias exactas. La historia era considerada por muchos como un conocimiento de rango inferior. Y se llegó a aplicarle fórmulas matemáticas, según los ensayos de Hartley y Priestly. El resultado de toda esa labor hizo que, a fines de siglo, la historia fuese una disciplina más rigurosa, pero de naturaleza interdisciplinaria. Las formulaciones más precisas de la teoría comparativa y evolucionista del conocimiento, que maduró en el XVIII, se resumen en la *Scienza Nuova* de Giambattista Vico, obra que sería explicitada posteriormente por Benedetto Croce.

reproche —de cariz enciclopedista— que Carrió haría al polígrafo Peralta Barnuevo[32]. Entre otras cosas, el autor del *Lazarillo* entendía que más beneficioso hubiera sido escribir la «historia civil y natural» del Perú que componer *Lima Fundada, España Vindicada*[33]. Pero, desprovisto de una tradición científica que le respaldara, a menudo Carrió hubo de recurrir a la práctica literaria que censuraba, para objetivar de algún modo la naturaleza de los hechos que describía.

Por otra parte, creo que el marco de referencias que he esbozado nos revela, a grandes rasgos, el confuso sincretismo historiográfico que prevalecía en los años postreros del período colonial. El *Lazarillo* será, por esas y otras razones, una recopilación ecléctica que refleja abiertamente el pensamiento fragmentado de la época. De hecho, esta breve ubicación historiográfica del texto nos permite una visión más clara de la obra y de su organización interna. Lo afirmo así porque, al emplazar la narración en su contexto, se esclarecen múltiples rasgos definitorios de la misma y se amplía el sentido testimonial que el *Lazarillo* retiene en el espectro histórico-literario de su época.


II


Es obvio que el *Lazarillo* no fue concebido exclusivamente como arte literario. El texto posee, no obstante, varios aspectos que confirman la dimensión creativa de la narra-

---

[32] Véase Prólogo, pág. 117.

[33] El reproche fue motivado, tal vez, por el inmenso prestigio científico que disfrutó Peralta Barnuevo en el siglo XVIII; conocimiento entonces tan excepcional en la cultura hispánica, y al mismo tiempo tan celebrado por la intelectualidad del siglo XVIII. Lo que indico está documentado en el estudio de I. Leonard «Pedro Peralta: Peruvian Poligraph», *Revista Hispánica Moderna*, XXXIV (1968), págs. 690-699.

ción. Éstas son consideraciones, bien está decirlo, que la
crítica ha visto de soslayo, pero que interesan al emprender
ahora una lectura centrada en la singularidad formal de la
narración.

Quisiera subrayar que, al afrontar el texto de Carrió, se
destaca en seguida la presencia desdoblada de un relator
histórico y otro figurado. Concolorcorvo o el Inca Calixto
Bustamante es el amanuense indígena empleado por Carrió
y, como tal, la *persona* narrativa que asume el Visitador [34].
Se sobreentiende que, en la historia literaria, poco tiene ese
ardid de novedoso. Pero esa duplicación es preciso verla de
otro modo. Lo que me interesa apuntar es que ese doblez
interior ilustra, con excepcional claridad, la ambivalencia
del *Lazarillo* como texto patrocinado por el impulso creativo
y el afán noticioso; es acaso el pliegue que alude, en otro
plano, a recrudecidas distinciones sociales y a toda un área
de escisión cultural que se acentuaba en los estadios finales
del período colonial.

---

[34] Bajo el título tan narrativo de la obra se lee: «Sacado de las
memorias que hizo don Alonso Carrió de la Vandera en este dilatado
viaje y comisión que tubo por la corte... Por don Calixto Bustamante
Carlos Inca, alias Concolorcorvo, natural del Cuzco...». Nótese la imagen precisa que el título nos da del Visitador y el perfil brumoso de
un relator que aparece envuelto en seudónimos y nombres dudosos.
Sabemos, por otra parte, que el amanuense fue personaje histórico,
aunque no se conocen detalles concretos de su vida y personalidad.
Quisiera añadir que las reservas que tuvo Carrió al publicar su libro
fueron, por otra parte, motivadas por las restricciones oficiales y por
una posible recepción polémica y negativa de la obra. Pero esas reservas fueron compartidas también por prestigiosos historiadores del
siglo XVIII. Nicolás de Jesús Nelando, en su *Historia civil de España*
(1740-1744), admite que la suya es por necesidad una versión parcial
de los hechos narrados. Para comprender el contexto intelectual y los
criterios oficiales e historiográficos de la época, debe consultarse el
documentado estudio de Iris M. Zavala *Clandestinidad y libertinaje
erudito en los albores del siglo XVIII* (Madrid, Editorial Ariel, 1978),
páginas 367-410.

El desdoblamiento presente en la imagen del relator se agudiza notablemente cuando verificamos que no se trata de una función relatora de carácter tradicional. Obsérvese, ante todo, que en la escritura se insertan una proyección autobiográfica imaginada, que narra el Inca Bustamante, y otra más categórica, determinada por Carrió. Esta última es visiblemente la coordenada que orienta el proceso narrativo. En el texto cohabitan, pues, dos estratos inestables: la palabra representada, que emite Concolorcorvo, y el discurso propiciado por el autor. En este último radica el verdadero contenido pronominal, evidente sobre todo en el plano de las conceptualizaciones. Por ello, me parece lícito atribuir tantas incidencias del texto al mismo Carrió. Queda consignado de esa manera un ente narrativo que necesariamente nos hace pensar en el *Lazarillo de Tormes,* aunque el área de relación entre ambos textos es frágil y muy breve, según se verá.

Las valoraciones más precisas aceptan que, en la obra clásica, Lázaro es el instrumento maleable y transparente a través del cual se expresa una sensibilidad culta y refinada [35]. Es acaso el narrador desdoblado por excelencia [36]; y Lázaro,

---

[35] Esos y otros rasgos estructurales del texto clásico se analizan brillantemente en los siguientes estudios: Fernando Lázaro Carreter, «La ficción autobiográfica en el *Lazarillo de Tormes*», *Litterae Hispaniae et Lusitanae,* I (1967), págs. 195-213; «Para una revisión del concepto 'novela picaresca'», en *Actas del III Congreso Internacional de Hispanistas* (México, Colegio de México, 1970), págs. 27-45. Stephen Gilman, «The Death of *Lazarillo de Tormes*», *Publications of the Modern Language Association,* LXXXI (1966), págs. 149-166. Claudio Guillén, «La disposición temporal del *Lazarillo*», *Hispanic Review,* XXV (1957), págs. 264-279.

[36] Al precisar las divergencias que existen en el punto de vista narrativo que contienen ambos textos, se verá que en la narración clásica se evita la ofuscación que se produce en el *Lazarillo de ciegos caminantes,* al quedar yuxtapuestos dos planos autobiográficos que se entrecruzan arbitrariamente.

al igual que Concolorcorvo, es la entidad que le permite al
relator implícito tomar la distancia necesaria para objetivar
los hechos descritos. Esa escisión dramatizada del instrumento narrativo es quizá el vehículo más directo que el
texto de Carrió mantiene con el modelo picaresco [37]. La di-
ferencia inmediata se percibe, sin embargo, en que el desdoblamiento ocurrido en el *Lazarillo de ciegos caminantes*
no es una práctica sostenida ni finamente equilibrada; limi-
tación que, por cierto, impide la ficcionalización coherente y
totalizada que sí logró el autor anónimo.

Ya en las páginas iniciales, la voz de Carrió se impone, y
hasta llega a entorpecer la perspectiva elegida en el proceso
de redacción. Apenas comenzada la obra, el Visitador exhibe
sus lecturas, y se desvía hacia ocasionales referencias mito-
lógicas, que permiten un comentario aforístico de los hechos
en cuestión; materia que el narrador designa como «exordio»
de su libro en gestación. Pienso, no obstante, que no son
ésos los temas y disquisiciones que hubiese interpolado gra-
tuitamente, y a tenor de prédica, un simple e inculto amanuense indígena de Cuzco. Observemos que es ese mismo
relator el que también alude a vivencias cortesanas:

> Esto supuesto, señores empolvados, sedientos o cansados,
> sabrán que los correos y mansiones o postas son tan antiguos
> como el mundo, porque, en mi concepto, son de institución
> natural, y convendrán conmigo todos los que quisieren hacer
> alguna reflexión. *He visto en la corte de Madrid* que algunas
> personas se admiraban de la grandeza de nuestro monarca,
> porque cuando pasaban a los sitios reales llevaba su primer
> secretario de Estado... (Prólogo).

---

[37] Inútil es relacionar la 'geografía' de la picaresca con la del
*Lazarillo*. La de este último es, como bien lo señala Bataillon, «un
itinerario» y no un emplazamiento imaginativo, como lo es Toledo en
la trayectoria de Lázaro de Tormes. *Introducción a*, pág. 97.

En otro tono, la página siguiente comunica la postura defensiva que habitualmente asociaríamos con una persona vinculada a las realidades peninsulares:

> Los españoles son reputados por los hombres menos curiosos de toda Europa, sin reflexionar que son los que tienen menos proporción por hallarse en el extremo de ella. El genio de los españoles no se puede sujetar a las economías de franceses, italianos, flamencos y alemanes, porque el español, con doscientos doblones en el bolsillo, quiere competir con el otro de estas naciones que lleva dos mil, no acomodándose a hacerse él mismo los bucles y alojarse en un *cabaret* a comer solamente una grillada al medio día, y a la noche un trozo de vitela y una ensalada (Prólogo) [38].

En los capítulos quizá más conocidos del libro, es obviamente Carrió quien produce una briosa defensa de la Conquista. E inexplicablemente, en Cuzco, tierra del relator Concolorcorvo, el Visitador se apodera del hilo narrativo para exponer allí sus prejuicios y orgullos de casta; conducta que debilita y reduce aún más la presencia efectiva del hablante figurado:

> Ya, señor Concolorcorvo, me dijo el Visitador, está Vm en sus tierras; quiero decir en aquellas que más frecuentaron sus antepasados.

Y en esa misma página agrega:

> Más plata y oro sacaron los españoles de las entrañas de estas tierras en diez años que los paisanos de Vm en más de dos mil que se establecieron en ellas, según el cómputo de los hombres más juiciosos. No piense Vm dilatarse mucho en la

---

[38] En una escala menor, la inclinación paródico-crítica del texto está indicada por las alusiones satíricas a voces francesas e italianas que se introducían en el léxico y la actividad literaria de la época. Ver Prólogo, págs. 102-103.

descripción de estos países, pues aunque son mucho más po-
blados que los que deja atrás, son más conocidos y trajinados
de los españoles que residen desde Lima a Potosí. *Nimborum
in patriam, loca foeta furentibus Austris* (XI)[39].

Advertimos que esos y otros fragmentos de la relación
no favorecen la imagen del narrador figurado que postula el
texto. Lejos de ser «indio neto», el relator, es, más bien,
como él mismo dice, «peje entre dos aguas»[40]. La inconsis-
tencia narrativa que he puntualizado no se advierte acaso
porque gran parte de la obra está montada sobre la base
de un diálogo tácito, y a veces directo, entre Concolorcorvo
y el Visitador. Aunque podría verificarse en otros pasajes,
en el segundo apéndice es aún más obvio ese plano de interacción que acabo de señalar:

> ¿Hay más preguntas, señor Inca? Sí, señor, le respondí, y
> no acabaría hasta el día del juicio, si Dios nos diera a Vm y a
> mí tanta vida como a Elías y Enoc. Pregunto lo segundo: si
> en México y Lima, que Vm reputa por las dos cortes más en-
> fermizas del imperio español americano, ¿viven sus habitantes
> tanto como en los demás países de su dominio? (Apéndice II).

En ese fragmento la narración se desvía hacia un tópico,
por cierto, muy comentado en la época colonial: me refiero
a las comparaciones y rivalidades entre los virreinatos principales de América. Pero, en otros momentos, esas matizaciones ocasionales también manifestarán las fricciones so-

---

[39] A mi parecer, el despliegue espacial que Carrió permite a la
cita indica su marcado interés por destacarla. El texto proviene de la
*Eneida* (Libro I: 51).

[40] Ver Prólogo, págs. 116-119. Ocurre, además, la yuxtaposición arbitraria de los planos autobiográficos, que evita la creación de un
foco narrativo claramente definido. Tampoco es efectiva ni consis-
tente la representación dialogada que el texto desarrolla.

ciales y la inevitable gestión opresiva que desarrolla la cultura donante.

> Por la laguna Estigia vuelvo a jurar, señor don Alonso, que es muy poco lo que entiendo de la pintura que Vm ha hecho del traje de mis compatriotas. ¿Y a mí qué cuidado me da esto?, me respondió. El año de cuarenta y seis de este siglo, memorable por el último gran terremoto, llegué a esta capital, en donde todavía hallé en uso estos trajes. Si al presente son ridículos, a lo menos no dejarán de confesar que fueron costosos y que en aquel tiempo manifestaban opulencia de sus dueños y el generoso espíritu que infundía el estelaje (Apéndice III).

Explícitamente es ésa la dinámica narrativa que otorga al texto sus fragmentos de mayor soltura; es también una manipulación retórica con precedentes antiquísimos en los debates, panegíricos y en los diálogos expositivos que cultivó la literatura europea del Renacimiento. Pero cuidémonos de pensar que la relación se elaboró totalmente al azar de esos diálogos y de los tópicos que he señalado. La directriz impuesta por el relator dominante (el autor) ejerce una función integradora que, a retazos, funde a ambos narradores. Lo que he señalado es visible en varios fragmentos: son sectores que tangencialmente indican una velada conciencia de elaboración textual. El pasaje que elijo para demostrarlo es extenso, pero su obvia importancia y función ilustrativa me induce a reproducirlo en su totalidad:

> Después de haber descansado dos días en Potosí, *pidió el Visitador este diario, que cotejó* con sus memorias y le halló puntual en las postas y leguas; y aunque le pareció difuso el tratado de mulas, permitió que corriese así, porque no todos comprenden las concisiones [*sic*]. Quise omitir las coplas de los gauderios, y no lo permitió, porque sería privar al público del conocimiento e idea del carácter de los gauderios, que no se pueden graduar por tales sin la música y poesía y sola-

mente me hizo sustituir la cuarta copla, por contener sentido doble, que se podía aplicar a determinados sujetos muy distantes de los gauderios, lo que ejecuté puntualmente, como así mismo omití muchas advertencias, por no hacer dilatada esta primera parte de mi diario, reservándolas para la segunda, que dará principio en la gran villa de Potosí hasta dar fin en la capital de Lima (X)[41].

En la caracterización formal del *Lazarillo* que he sugerido hasta ahora, me parece necesario apuntar la conducta de un texto que llega a ocuparse de sí mismo y que convierte aspectos del procedimiento narrativo en tema ocasional del discurso. Se repite, pues, aquí un síndrome escritural que he señalado en la obra del Inca y en la de Rodríguez Freyle, y que comprueba indirectamente esa postura autocontemplativa e interiorizada que asoma con tanta frecuencia en la escritura americana desde el siglo XVI. Se verá, además, que el párrafo que he citado es un apretado resumen de temas y actitudes muy notorios en toda la obra.

Esa coherencia alcanzada por la narración al revelar sus aspectos más interiorizados disminuye considerablemente cuando el relator dominante (Carrió) se empeña en transferir a un primer plano las querellas y rivalidades entre funcionarios de su época. Son datos que, bien está apuntarlo, empobrecen el alcance imaginativo de la obra:

Bastante pudor me cuesta —y es, sin duda, Carrió quien habla— descifrar un enigma tan público, que hasta los muchachos de Lima lo saben. Finalmente, las cuatro P. P. P. P. que fijó el gachupín a la puerta de este palacio arzobispal significan otra cosa, como a VV. SS. Ilustrísimas les consta, que Pila,

---

[41] Este y otros pasajes similares son antecedentes explícitos de las relaciones detallistas y excesivamente localizadas que emprenderá la literatura costumbrista del siglo XIX.

Puente, Pan y Peines, en que excede Lima a la ponderada ciudad de México (Apéndice III) [42].

Estamos situados, pues, ante una narración que se desarrolla a partir de una perspectiva ambivalente de sí misma y del mundo que describe. Lo digo así porque, aun cuando el Inca Bustamante es el hablante figurado, Carrió no logra sustraerle todos los valores y actitudes que serían propios de su raza y extracción cultural. Persiste, de ese modo, una confrontación sostenida, aunque tenue, de dos marcos referenciales que se entrecruzan en el nivel autobiográfico del texto; es un ligero choque de imágenes, que termina por desorientar al lector. Pero, viéndolo de otro modo, en la organización del discurso entroncan los valores extremos de la sociedad colonial: el indio y el peninsular. E, inscrito entre ambos, permanece el criollo mayoritario, que aparentemente resulta excluido como entidad dinámica del texto. Digo aparentemente, porque sólo es así en la superficie denotativa de la narración.

Invito al lector a meditar sobre lo que acabo de señalar, porque se esboza aquí un concepto que permite una caracterización mucho más exacta de la obra. Quiero decir que, en el *Lazarillo*, el espacio narrativo de mayor significación es precisamente un interdicto. Entre los extremos que representan Carrió y el indio Concolorcorvo aparece diluida la expresión cultural del criollo; se omite paradójicamente el tipo humano y social que fundaba en América un nuevo contexto de valores. Y la omisión se torna aún más significativa cuando advertimos que son las actitudes y el mundo del criollo los que singularizan la obra. Piénsese a la vez que ese curioso signo de interdicto puede verificarse de

---

[42] Para una explicación de esos detalles propios de la *novela de clave*, ver Carilla, *El libro*, pág. 31.

manera ascendente en los textos que he comentado. Por otra
parte, la incidencia implícita del criollo alude en el *Lazarillo*
a los múltiples efectos represivos que instituía el sistema
imperante.

En secciones muy variadas, Carrió, desde su relator, da
cuenta del mestizaje en todas sus formas y hasta documenta
los hábitos generalizados del criollo en México y Perú. Alude
en particular a los «chapetones» limeños, y dice, por ejemplo, que «en la Nueva España los llaman peruleros, y en la
península mantienen este nombre hasta en sus patrias, y así,
en Madrid, *a mi cuñado y a mí y a los demás criollos* nos
reputaban igualmente por peruleros o limeños» (Apéndice III). Pero no serán siempre favorables las imágenes del
criollo que se ofrecen en el *Lazarillo*[43]. Más importante que
las quejas y críticas ocasionales es el equívoco que percibimos en la narración y que, a su vez, la singulariza.

Lo que deseo consignar ahora es que, tras su reafirmada
condición peninsular, Carrió experimenta un plano vivencial
—el más significativo de toda su vida—, que está cifrado
plenamente en la cultura del criollo. Razón sobrada tiene
M. Bataillon al afirmar que el Visitador, «vuelto a Madrid,
es ya un peruano o perulero, o sea, tanto como decir criollo,
y encuentra natural que los madrileños lo confundan con
los demás criollos»[44]. Además, los conocimientos extremada-
mente pormenorizados que Carrió poseía de la vida rural y
urbana y su exposición detallada de los usos y los grupos
étnicos nos indican que las experiencias formativas del relator se consolidaron en una sociedad que ya estaba definida
por la cultura del criollo[45].

---

[43] Véase Prólogo, pág. 115. La cursiva es mía.
[44] *Introducción a*, pág. 208.
[45] Para comprender con exactitud el significado cultural e histórico que encierra la palabra criollo, léase el estudios de José J. Arrom

Para fijar, por último, la organización interna de la obra, tendremos que reconocer también que ambos relatores son los garantes inmediatos del texto. Pero son, además, dos voces que, desde el plano autobiográfico, por necesidad ficcionalizan gran parte de la relación [46]. Con ello quiero apuntar muy brevemente que el discurso posee un significante imaginativo que lo condiciona y que posibilita los significados diversos que la narración manifiesta. De ello me ocupo en la conclusión de estas notas.

## III

En lo que precede me he referido someramente a las contraposiciones interiores que sugiere la mecánica narrativa del *Lazarillo*. Pero ocurre que ese conocimiento nos transfiere por necesidad a otro plano no menos importante del discurso, en el que aparecen contrapuestas ahora imágenes de procedencia inesperada. Hablo concretamente de libros, textos y referencias que ingresan en la narración como afluentes tributarios para formar una atropellada corriente narrativa. Son materiales que, al fundirse, incrementan la dimensión referencial del discurso mediante un proceso analógico, que enriquece y amplía nuestra lectura. Insisto en ello porque esas relaciones textuales —a veces tan conflictivas e imprecisas— son un rasgo esencial de la creación

---

«Criollo: definición y matices de un concepto», en *Certidumbre de América* (Madrid, Editorial Gredos, 1971), págs. 11-26.

[46] El proceso de ficcionalización que desarrolla la relación autobiográfica lo analiza William Howarth en su estudio «Some Principles of Autobiography», *New Literary History*, V (1974), págs. 365-368. Excepcional es el estudio de Paul De Man «Literary History and Literary Modernity», en *Blindness and Insight*: *Essays in the Rhetoric of Contemporary Criticism* (Ithaca, Cornell Universiy Press, 1968), página 152.

literaria; rasgo que en las letras americanas hemos de verificar con peculiaridades muy definidas [47].

De manera accidental, en el *Lazarillo de ciegos caminantes* se dilata todavía más el espacio gestado por la intertextualidad creativa. Sin embargo, no he de explorarlo en todas sus formas, ni es necesario que lo haga [48]. Adviértase que la narración muestra su comportamiento referencial con un epígrafe de Ovidio que sirve como punto de partida al texto, y que dará lugar a otros de procedencia clásica que he verificado en citas anteriores. Pienso que, en parte, la función tácita de esas citas y referencias es vincular la escritura a los códigos más prestigiosos de la expresión literaria. Es tal vez la indicación explícita de que el texto ligero y coloquial que se ofrece mantiene aún las garantías de un saber refinado. Observaremos, por ejemplo, que esas asociaciones iniciales son las que suscitan una breve parodia de motivos clásicos que inician en el *Lazarillo* una sucesión bastante extensa de interpolaciones ilustrativas y definitorias. Según vimos, al realzar las virtudes de la fábula, en contraste con la historia, el relator distingue con alguna precisión los rasgos idealizados y las cualidades que posee el héroe legendario; alusión que motiva a su vez el siguiente relato:

---

[47] Los precedentes más sugestivos de esa peculiaridad los expone con admirable precisión Roberto González Echeverría en «José Arrom, autor de la *Relación acerca de las antigüedades de las Indias*: picaresca e historia», *Relecturas* (Caracas, Monte Ávila, 1976), páginas 17-31.

[48] Me atengo al concepto general de intertextualidad enunciado por la profesora Julia Kristevà al definir el texto como «aparato translingüístico que redistribuye el orden de la lengua, poniendo en relación una palabra comunicativa, apuntando a una información directa, con distintos tipos de enunciados anteriores o sincrónicos», *El texto de la novela* (Barcelona, Lumen, 1974), pág. 15. Es ver el texto como un área de inserciones creativas. O sea, la configuración de un enunciado que se integra, a su vez, en la totalidad histórica y social.

Juno y Venus —dice el narrador—, rivales desde la decisión del pastor de Ida, siguen opuesto partido, procurando cada una atraer al suyo al altisonante Júpiter, que, como riguroso republicano, apetece la neutralidad; pero deseando complacer a las dos coquetas, arroja rayos ya a la derecha, ya a la izquierda, en la fuerza del combate, para que quede indecisa la victoria. La implacable Juno abate toda su grandeza, suplicando a Eolo sople, calme o se enfurezca. La bizca manda a Marte, como Proserpina a un pobre diablo. Palas no sale de la fragua del cojo herrero hasta ver a su satisfacción templados broqueles y espadas, y la sabia diosa no se desdeña transformarse en un viejo arrugado y seco, para servir de ayo y director del hijo único de Penélope. En fin, triunfa el principal héroe de la fábula, que coloca en el inmortal sagrado templo de la fama bella (I).

Sabemos que esa parodia festiva se elabora para retomar, indirectamente, el viaje de Telémaco al infierno, entre otras alusiones. Conviene insistir, sin embargo, en que los procedimientos que he señalado aquí no se limitan a las intervenciones fortuitas de la alusión decorativa; la concatenación directa o implícita de textos muy variados instituye gradualmente una dinámica escritural facilitada por la potenciación asociativa inherente al texto literario; textos que llegan a constituirse como un sustrato analógico de latitud muy variable.

Al puntualizar esos atributos de la narración, debemos tener en cuenta que el *Lazarillo* se ha estimado primordialmente por su caudal informativo, y no sorprende que así sea. Pero, con todo, la obra se inspira, por lo menos en parte, en textos de creación, ya que incorpora como referente inmediato el *Telémaco* de Fenelón; libro urdido con inmensa riqueza imaginativa, que deriva, a su vez, de la *Odisea*, y que desarrolla una trama de fabulaciones extremas, propias de la novela bizantina. Es por ello justificada la observación de Carilla al recalcar que entre las fuentes principales del *Lazarillo* se destaca sobre todo el *Telémaco* [49].

Por su parte Bataillon afirmaba que ese mismo libro «coronaba la cultura clásica de Carrió» [50]. No es necesario insistir en ello, ni tampoco en la huella que deja en el *Lazarillo* la *Vida* (1743) de Torres de Villarroel, escritor, por cierto, muy afín al temperamento mordaz y satírico de Carrió. Pero esos y otros datos similares han sido esclarecidos a lo largo de muchos años por investigadores bien conocidos de todos.

La secuencia episódica estructurada por Carrió provoca, aunque en proporción desigual, una relación analógica con textos indirectamente afines al *Lazarillo*. En medio de un diálogo irónico en que se predicen los comentarios que podría motivar el *Lazarillo* entre sus futuros lectores, el relator evoca la presencia de obras que sin duda informan y respaldan la proyección creativa del texto:

> Ninguna obra ha salido hasta ahora al gusto de todos, y hay infinidad de sujetos que, no siendo capaces de concertar un período de seis líneas en octavo, ponen un defecto en las cláusulas del hombre más hábil. Todo esto es oro molido para el autor. Si Vm. logra sacar el costo de su impresión (que lo dudo mucho) aunque La Robada [51] le haga mucha gracia por mi respeto y amistad antigua, siempre gana Vm. mucho difundiendo su nombre y apellido por los dilatados dominios de España, con más fundamento que *Guzmán de Alfarache* y *Estebanillo González*, que celebran tantos sabios e ignorantes en distinto sentido (Apéndice III).

---

[49] Remito al lector a las oportunas aclaraciones que hace Carilla en su edición, cap. I, pág. 125. Hay otras referencias al mismo libro en la pág. 395.

[50] *Introducción*, pág. 207.

[51] Es el nombre de la imprenta en que se publicó la obra de Carrió.

Otras referencias integradas en la narración son menos explícitas, pero identificables en todo caso. El simple juego de palabras que ocasiona el refrán invertido «liebre por gato» nos recordará variaciones similares en el *Quijote* y en textos de Quevedo [52]. Y el transfondo literario, más que folklórico, que parece sugerir ese juego se insinúa también en otras alusiones, aunque menos precisas:

> El chiste de liebre por gato nos pareció invención del flaire, pero el Visitador nos dijo que, aunque era muy usado en el Tucumán, era frase corriente en el Paraguay y pampas de Buenos Aires, y que los versos de su propio numen eran tan buenos como los que cantaron los antiguos pastores de la Arcadia, a pesar de las ponderaciones de Garcilaso y Lope de Vega (VIII).

Los enlaces implícitos o directos entre escrituras diversas se comportan como un retraído diálogo intertextual, que es fomentado, en parte, por la lógica argumentativa y polémica que sirve de sostén formal al *Lazarillo*. Con razonamientos propios de un criollo, el relator (Carrió) reincide en tópicos convencionales, en los que suelen despuntar las referencias literarias:

> Protesto a Vm. señor Inca, que ha cerca de cuarenta años que estoy observando en ambas Américas las particularidades de los ingenios de los criollos y no encuentro diferencia, comparados en general con los de la península (Apéndice II).

Y allí se precisa otro comentario que con toda claridad responde a la *Defensa de los españoles americanos y su ingenio* de Feijoo [53].

---

[52] Véanse las explicaciones bibliográficas que aporta Carilla, *El libro*, pág. 111.

[53] Son útiles las referencias y paralelos textuales que el editor ofrece en sus notas. Se reproduce la defensa vehemente que Feijoo hace de Peralta Barnuevo y de la intelectualidad criolla, pág. 447.

La información ordenada que ha propiciado la investigación literaria nos permite confirmar las relaciones tácitas y
directas que el *Lazarillo* mantiene con la obra de Quevedo.
Es innecesario, por lo tanto, reconsiderarlas aquí. Quiero
destacar, no obstante, que la concepción imaginada del relator Concolorcorvo deriva, al parecer, de una fuente literaria;
me refiero, claro está, al romance de Quevedo «Bodas de
negros»:

> Iban los dos de las manos,
> como pudieran dos cuervos;
> otros dicen como grajos,
> porque a grajos van oliendo.
> ...........................................................
> Echóles la bendición
> un negro veintidoseno,
> con un rostro de azabache
> y manos de terciopelo [54].

Gradualmente, esas y otras aportaciones sugeridas por
fuentes literarias muy variadas se acumulan en el *Lazarillo*
como un sedimento fértil, que pone de manifiesto el parcial
asiento imaginativo del texto. Esa observación se corrobora
también al señalar la diligencia con que el narrador recoge
y sintetiza temas literarios y del folklore que apenas se co-
nocían fuera de la América hispana. Es éste, tal vez, uno
de los aspectos menos estudiados de la obra. El *Lazarillo*,
valorado desde ese ángulo, se percibe hoy como un vasto
compendio de relatos y motivos que difieren marcadamente
en valor literario, e incluso en su nivel de desarrollo formal.
    Al describir los aspectos de la cultura urbana y campe-
sina de aquellas regiones, se retratan las ferias, hábitos y
labores; y, en el curso de su itinerario, el relator construye

---

[54] *Obras Completas*, I. Citado por Carilla, pág. 109.

estampas populares con matizaciones puntillosas que anuncian el auge inminente de la literatura costumbrista. El
flujo dialogado de la narración por su naturaleza recoge
anécdotas, relatos y coplas que provocan las circunstancias
y que sugieren a cada paso las tradiciones populares de
aquellos sitios. Confirmamos, pues, un hábito narrativo que
habían practicado los cronistas, pero que Carrió emplea con
obvio deleite, y mostrando en cada detalle su instinto de
narrador:

> Antes de salir de esta jurisdicción —nos dice el relator—
> voy a proponer un problema a los sabios de Lima. Atravesando
> cierto español estos montes en tiempo de guerra con indios
> del Chaco, se vio precisado una noche a dar descanso a su
> caballo, que amarró a un tronco con un lazo dilatado para
> que pudiese pastar cómodamente, y por no perder tiempo, se
> echó a dormir un rato bajo de un árbol frondoso, poniendo
> cerca de su cabecera una carabina proveída de dos balas. A
> pocos instantes sintió que le dispertaban [*sic*] levantándole
> de un brazo, y se halló con un indio bárbaro armado de una
> lanza y con su carabina en la mano, quien le dijo con sere-
> nidad: «español, haz tun»; esto es, que disparase para oír de
> cerca el ruido de la carabina. El español, echando un pie atrás,
> levantó el gatillo y le encajó entre pecho y espalda las dos
> balas al indio, de que quedó tendido. Se pregunta a los alum-
> nos de Marte si la acción del español procedió de valor o de
> cobardía, y a los de Minerva si fue o no lícita la resolución
> del español (IV).

Este y otros cuentos sobre gauderios y tucumanes (capítulo VII) [55] anticipan, además, los temas característicos de
la narrativa criollista; y el motivo de la sorpresa brutal que
asoma en el relato de Carrió lógicamente nos hace pensar
en cuentos muy conocidos de nuestro siglo. Pienso, por ejemplo, en «El pozo» de Ricardo Güiraldes, o «El duelo» y «El

---

[55] Ver cap. I, págs. 134, 136, 171, entre otras.

muerto» de Jorge Luis Borges [56]. Es evidente que en esos trozos del *Lazarillo* habían cristalizado ya algunas formas arquetípicas de la narración gauchesca. Son incidentes concebidos a veces en torno a la copla y al cuento de fogón:

> El Visitador, que no se acomoda a calentar mucho su asiento, dijo al viejo con prontitud que aquella expresión le parecía muy mal, y así, señor Gorgonio, sírvase Vm. mandar a las muchachas y mancebos que canten algunas coplas de gusto, al son de sus acordados instrumentos (VIII) [57].

Pero otras narraciones que distinguimos a lo largo de la obra son injertos que provienen sin duda de la cuentística popular, que, como antes indiqué, también fecundó las relaciones del Inca Garcilaso y Rodríguez Freyle. En el *Lazarillo*, los relatos en torno a las lavanderas de Córdova, que «jamás remiendan sus sayas» (IV), o el que versa sobre «la india muerta y el fraile muerto» (IV), deben mucho a la narrativa popular, que prosperó a partir del siglo XVI y que evoluciona hacia el espacio ilimitado de la conseja y el chascarrillo hispánico.

## IV

Esa dimensión del texto, que apenas he sugerido, manifiesta, a simple vista, una proyección creativa que a su vez confirma el sentido profético que el *Lazarillo* asume en las letras americanas. La integración generosa de formas litera-

---

[56] Un comentario valioso y muy reciente sobre las fuentes y grados de elaboración en la cuentística de Borges aparece en el libro de Jaime Alazraki *Versiones. Inversiones. Reversiones* (Madrid, Editorial Gredos, 1977), págs. 47 y sigs. Ver, concretamente, págs. 125-126.

[57] Obsérvese que en el cap. I, pág. 133, se ofrece una descripción de carnes apetitosas, reses descuartizadas, desperdicios, ratones y gaviotas, que evoca directamente escenas iniciales de «El matadero» de Esteban Echeverría.

rias tan disímiles permite que hoy veamos la obra como
una figura poliédrica que gira sobre sí misma para mos-
trarnos imágenes, referencias y procedimientos que aún sor-
prenden al lector especializado.

El texto, como las relaciones del Inca y Rodríguez Freyle,
admite y fusiona un repertorio sorpresivamente amplio de
códigos literarios e historiográficos. Son materiales incor-
porados para alcanzar, desde ellos, una escritura singularizada, que reiteradamente ha de inscribirse en un espacio
intertextual. Pero la simple redacción no convoca sus precedentes para reproducirlos, sino más para trascenderlos
mediante una reorganización creativa de los mismos. Al
proponerlo así, es difícil no pensar en las observaciones
certeras de Roland Barthes cuando indica que el objetivo del
lenguaje literario es precisamente «reconstruir las reglas y
sujeciones de la elaboración» [58]. Gérard Genette, por su parte,
expande ese juicio al indicar que el texto literario «se desdobla de alguna manera para agregar a su propia significación explícita o literal, o denotación, un poder suplementa-
rio de connotación que lo enriquece con uno o varios
sentidos» [59].

En el *Lazarillo* se da, pues, un desgranamiento interior,
o, si se quiere, un sistema de proliferación anecdótica que
hace posible el amplio sentido connotativo del texto. Aunque
nuestra atención suele fijarse en el plano denotativo, los
componentes literarios (relatos, parodias, etc.) nos revelan
significados laterales —son, en rigor, los alrededores semán-
ticos de que tan sabiamente nos habla Carlos Bousoño— [60];

---

[58] *Ensayos críticos* (Barcelona, Seix Barral, 1967), pág. 306.
[59] *Figuras; retórica y estructuralismo* (Córdoba, Argentina, Nagel-
kop, 1970), pág. 213.
[60] Me refiero a su admirable y reciente libro *El irracionalismo
poético: (El símbolo)* (Madrid, Editorial Gredos, 1977), págs. 175-203.

significados que no pueden omitirse, si nos proponemos una visión plena de la obra.

En último término, resulta claro que la originalidad del *Lazarillo* y de la escritura americana en general no reside obviamente en la pintoresca raíz etimológica del vocablo, sino más bien en esa transformación creativa de todos los antecedentes convocados [61]. Se desprende también que el texto americano no puede afirmarse en la causalidad nítida de una tradición elucidada en contextos culturales unificados y precisos. En otras páginas de este libro he sugerido que la expresión literaria de América será, casi siempre, una actividad reflexiva que tiene su difícil razón de ser en la noción parenne de un devenir incierto; ése es acaso un signo primordial de nuestros mejores textos; la nuestra es una escritura fundamentada en una plenitud siempre futura: plenitud que a un mismo tiempo alimenta y cancela esa escritura.

Para concluir estas páginas, quisiera señalar que estos breves razonamientos en torno al *Lazarillo de ciegos caminantes* nos sirven para corroborar, desde un libro casi olvidado, la ficcionalización progresiva que ha experimentado

---

[61] No he querido inferir que ese proceso sea, en modo alguno, exclusivo de la creación literaria en Hispanoamérica. Lo que sí deseo subrayar es que el afán por alcanzar una expresión singularizada ha motivado en las letras americanas un fase agónica (en el sentido unamuniano) de introspección y confrontaciones. Es la escritura conseguida entre el rechazo y la afirmación fervorosa de valores y tradiciones propios o aprendidos. De ahí la palabra que se inscribe repetidamente en un espacio oscilante e intertextual. Es la actividad que por su naturaleza desmiente toda escritura definitiva. Acaso esa tensión permite la expresividad inquietante que alcanzan los mejores textos de Martí, Alfonso Reyes, Borges, Octavio Paz y tantos otros. En sus obras se ha consagrado la palabra que siempre va más allá de sí misma, aun cuando el contexto sea la relación histórica, el ensayo o el verso.

el discurso histórico de América. Por ser así, entiendo que el testimonio histórico que nos entrega el *Lazarillo* no ha de buscarse exclusivamente en la multitud de datos que el texto recoge. A la postre, la estructura misma de la obra constituye una significativa representación cultural del ámbito descrito. De ahí la indiscutible condición histórica que subyace en varios sectores del discurso; condición que no podemos omitir al constatar los verdaderos rasgos diferenciales de la narración.

# Capítulo V

## MUTACIONES DE LA RELACIÓN OCASIONAL EN EL SIGLO XIX: PRECISIONES CONCEPTUALES SOBRE EL CUADRO DE COSTUMBRES Y EL CUENTO LITERARIO

### I

Según he señalado, a lo largo de siglos, gran parte de nuestra historiografía fue seducida por las evocaciones y el goce íntimo de la creación. Sin mayores hazañas que relatar, los libros documentales gustosamente fueron recopilando el acontecer andariego de la vida americana. Se echaron a un lado los asuntos oficiales para relatar, escrupulosamente, milagros y estampas ligeras que protagonizaron frailes, viajeros y otra gente de vida azarosa; y de ese modo quedó reunido en aquellos libros un caudal abundante de sucesos que en el siglo XIX serían laboriosamente rescatados por los escritores costumbristas. Pero conviene recordar ahora que esa reconstrucción anecdótica del pasado fue incitada también por la sensibilidad romántica. Desde fines del siglo XVIII se proclamó en todos los ámbitos el encanto y valor testimonial de la leyenda; y, en América, ese material tan diverso se ofrecía en cantidades inagotables.

En consecuencia, desde el siglo XIX surgió en América una literatura dispuesta a festejar nuestra singularidad desde lo típico. Pero es importante percatarse, una vez más, de que esa tendencia existió por muchos años en el seno de nuestra historiografía. Es un hecho que confirman los textos que he comentado y que vuelvo a subrayar en estas páginas finales porque esclarece la perspectiva histórica de nuestra prosa de ficción. Sugiero que esas formas precursoras —extraviadas en las crónicas— no pueden ignorarse al juzgar las etapas germinales del costumbrismo americano. No he de insistir en ello, ya que el análisis textual desarrollado en los capítulos anteriores consigna algunas relaciones visibles y significativas entre el relato intercalado y la estampa de costumbres que nos legaría el siglo XIX.

Indicaré, para comenzar, que un texto primordial de Esteban Echevarría (1805-1851) alude indirectamente a lo que he venido señalando. En las primeras páginas de *El matadero*, al meditar sobre la naturaleza de su relato, el narrador se detiene para hacernos la siguiente aclaración:

> A pesar de que la mía es historia, no la empezaré por el arca de Noé y la genealogía de sus ascendientes, como acostumbraban los antiguos historiadores de América, que deben ser nuestros prototipos [1].

Pero la suya es, en verdad, una narración audaz, que enlaza, en más de un sentido, los rasgos fundamentales del artículo de costumbres y los del cuento literario. Por varias razones, esa convergencia de esquemas narrativos posee un interés excepcional en las letras americanas del siglo XIX. Se trata de una fusión, tal vez ineludible, pero que ha sido también la causa de malentendidos y juicios tarados por la

---

[1] *Obras Completas* (Buenos Aires, Carlos Casavalle, 1873), II, página 171.

vaguedad. Distingo, pues, una zona incierta que la crítica ha transitado con notable dificultad. Según se verá, las contradicciones que estos temas suscitan son aparentes. Es obvio, por una parte, que el cuento literario es la forma narrativa más perfecta y rica con que cuenta nuestra prosa de creación, pero en ningún momento caracterizaríamos el cuadro de costumbres en términos similares. Consciente de la importancia que asumen esas y otras disyuntivas conceptuales en el siglo XIX, me ha parecido útil exponer aquí —a manera de resumen crítico— algunas distinciones básicas entre el artículo de costumbres y el cuento. Son precisiones formales que ya he insinuado muchas veces en este libro, pero que merecen, ahora, un desarrollo más explícito.

## II

Obsérvese que, como si se tratara de un hecho indiscutible, la historia literaria suele repetir que el cuadro de costumbres es el esquema narrativo que prefigura o engendra al cuento literario[2]. Es obvio que esa generalización tiene su razón de ser; pero sería un error tomarla al pie de la letra, sobre todo porque se alude en este caso a dos tipologías de la narración breve que, a mi entender, difieren notablemente en su organización interna.

A manera de apunte inicial, creo que se produce una confusión innecesaria al inferir que existe, en términos formales, una causalidad directa entre el artículo de costumbres y el cuento literario[3]; pero, según he indicado, tanto en las

[2] Véanse, por ejemplo, las observaciones que en ese sentido ofrece Antonio C. Altamar en su obra *Evolución de la novela colombiana* (Bogotá, Publicaciones del Instituto Caro y Cuervo, 1957), págs. 125-145.

[3] Al referirme al cuento literario, aludo al esquema narrativo que desarrolló el romanticismo y que fue conceptualizado, entre otros,

letras españolas como en las hispanoamericanas, sólo ocasionalmente se han practicado los deslindes que nos servi-
rían para lograr un conocimiento más exacto de nuestra
prosa de ficción [4].

por Edgar Allan Poe, en su conocida reseña de *Twice-Told Tales* de
N. Hawthorne. Ver *The Complete Works of E. A. Poe* (New York, Tho-
mas & Crowell, 1902), págs. 106-113. Es obvio, por otra parte, que los
costumbristas no distinguen el cuento como una forma definida y
artísticamente superior al artículo de costumbres. Refiriéndose a ello,
José F. Montesinos señaló que «Mesonero era hombre demasiado de
su época para que la palabra *cuento* sea frecuente en su vocabulario;
no hablemos de *novela corta*, término vergonzante, enteramente moderno. De pasada da a entender que el cuento ha sido siempre una
sencilla narración en prosa y que es ridículo que los románticos lo
escriban en verso; da a entender que, en estos tiempos, tales cuentos
son cosas hechas para llenar las columnas de los periódicos —y aun
en ese pasaje se habla de 'narraciones, episodios y cuentos', vocablos
que supongo da como sinónimos, y que en todo caso sería difícil
deslindar y definir». Montesinos cita en una nota observaciones en
que Mesonero caracteriza al cuento como forma narrativa: «ora se
emplea en trazar la historia que puede pasar por novela, ora... en
escribir novelas que pican en historia; los unos se encargan del sur-
tido al por mayor de narraciones, episodios, cuentos y traducciones
para los periódicos». *Costumbrismo y novela: ensayo sobre el descubrimiento de la realidad española* (Madrid, Castalia, 1960), págs. 60-61.
Para un análisis preciso, que contrasta la estructura del relato y la
del artículo periodístico, puede consultarse el estudio de Roland
Barthes «La estructura del suceso», en *Ensayos críticos* (Barcelona,
Seix-Barral, 1965), págs. 225-236.

[4] En lo que se refiere a distinciones más o menos precisas, los
estudios más útiles son, hasta hoy, los de Mariano Baquero Goyanes,
*El cuento español en el siglo XIX* (Madrid, Consejo Superior de Investigaciones Científicas, 1949), págs. 62-92; Luis Leal, *Historia del
cuento hispanoamericano* (México, Andrea, 1966), págs. 5-20; Pedro
Lastra, *El cuento hispanoamericano del siglo XIX* (Santiago de Chile,
Editorial Universitaria, 1972); Enrique Anderson Imbert, *El cuento
español* (Buenos Aires, Editorial Columba, 1950), págs. 8-17. Un modelo
en lo que se refiere al análisis estructural propiamente dicho se ofrece
en el estudio de Roland Barthes «Introduction à l'analyse structurelle
des récits», *Communications*, VIII (1966), 237-272. Por otra parte, los
esquemas variados que ha seguido el relato costumbrista fueron des-

Al retroceder en la historia literaria, me parece curioso que Menéndez y Pelayo seleccionara al *Rinconete y Cortadillo* de Cervantes como modelo preeminente del relato costumbrista. Según el erudito español, desde entonces el cuadro de costumbres «existe con jurisdicción independiente de la novela y en formas variadísimas». Y de ese modo prosigue para definirlo como «narración que se cifra en la acabada y realista pintura de los héroes»[5]. A esos comentarios de Menéndez y Pelayo podrían añadirse innumerables matizaciones que sobre el mismo tema ofrecían en América el colombiano José Caicedo Rojas (1816-1898), el cubano Cirilio de Villaverde (1812-1894) y el argentino Juan Bautista Alberdi (1810-1884), entre otros[6]. Para destacar principalmente la función utilitaria e historicista del cuadro de costumbres, Caicedo Rojas insistía en que:

> Los artículos de costumbres, como complemento indispensable de la Historia, son de grande importancia para dar a conocer en todos sus pormenores una sociedad, un pueblo en su modo íntimo de ser. La Historia se limita a narrar los grandes hechos, las peripecias, los triunfos, las vicisitudes, las guerras, las hazañas, las diferentes situaciones por las cuales

critos, en parte, por Clifford M. Montgomery en *Early Costumbrista Writers in Spain 1750-1830* (Philadelphia, University of Pensylvania Press, 1931), y, sobre todo, por F. Courtney Tarr en «Romanticism in Spain and Spanish Romanticism», *Bulletin of Spanish Studies*, XVI (1939), págs. 26-37.

[5] Prólogo, *Obras de José María de Pereda* (Madrid, Editorial Tello, 1884), I, pág. 37.

[6] El estudio descriptivo más completo en torno al cuadro de costumbres americano se debe a Frank M. Duffey, *The Early Cuadro de Costumbres in Colombia* (Chapel Hill, North Carolina Studies in the Romance Language and Literature, 1956). A lo largo de este trabajo indico algunas fechas de textos y autores hoy poco conocidos, simplemente para elucidar, en lo posible, el proceso evolutivo de las tipologías que considero.

ha pasado una nación en el largo período de su infancia y desarrollo [7].

En España, sin mayor éxito, se especuló abundantemente en torno a la configuración y funciones del artículo de costumbres. Ramón Mesonero Romanos —a quien tanto admiraron los costumbristas americanos— afirmaba que su *Panorama matritense* fue concebido para suplir la falta de novelas modernas y para recrear, a la vez, «las narraciones fantásticas, los sueños y las alegorías a la manera de Quevedo, Espinel, Mateo Alemán y Diego de Torres» [8]. Pero ocurre que el concepto de modernidad a que alude Mesonero radica en textos clásicos, que a duras penas podían ofrecer los esquemas apropiados para la creación de una novelística verdaderamente renovadora.

De entrada, esa diversidad de metas contradictorias anticipa con suficiente claridad algunos de los equívocos inherentes al cuadro de costumbres como género literario. Visto en ese contexto, no resulta convincente el esfuerzo renovador que perseguían Mesonero y algunos de sus contemporáneos. Por otra parte, la postura que asumía el relator denota un nivel de afectación que le lleva a elaboraciones ingenuas de la materia narrativa. El escritor costumbrista persistía, por ejemplo, en la añoranza de giros anticuados y en la glorificación nostálgica de hábitos y valores que aún estaban vigentes en la sociedad española de aquella época [9].

---

[7] Prólogo, *Apuntes de ranchería y otros escritos escogidos* (Bogotá, Biblioteca Popular Colombiana, 1945), pág. 7. La perspectiva histórica que postuló el romanticismo —vista sobre todo desde la literatura— ha sido analizada con admirable precisión por Harry B. Henderson III. Ver «The Romantic Historians: The Structure of Historical Imagination», en *Versions of the Past* (New York, Oxford University Press, 1974), págs. 12-49.

[8] *Obras Completas* (Madrid, BAE), I, pág. 12.

[9] Ver *Costumbrismo*, págs. 53-74.

La exaltación simplista de lo añejo fue por muchos años pose predilecta del narrador costumbrista, que insistía —como apuntó Montesinos— en echarse encima los años que no tenía para fortalecer de alguna manera el registro informativo del texto [10]. A esa actitud ligera, y a veces histriónica, pueden atribuirse muchas de las inconsistencias que padece el flujo de la escritura. Como consecuencia de ello, resaltan habitualmente las rupturas del hilo narrativo y el contrapunto sobresaltado de anécdotas inconclusas y matizaciones conceptuales un tanto disparatadas.

La confusión que envuelve el relato de costumbres en nuestra historia literaria se debe también a que esas narraciones surgieron en un vacío teórico y sin el apoyo formal de modelos prestigiosos. Son, además, textos que con frecuencia aspiran, simultáneamente, al prestigio de la investigación histórica y a la expresividad que distingue a la creación literaria. Esa postura ambivalente sobresale de igual manera en los pronunciamientos que el argentino Esteban Echeverría, entre muchos, resumió con el énfasis que le caracteriza.

Según él las vio, las funciones primordiales de la narración costumbrista serían «mostrar en seguida la práctica de las naciones cultas cuyo estado social sea análogo al nuestro y confrontar siempre los hechos con la teoría o la doctrina de los publicistas adelantados» [11]. De ese modo, el texto fue juzgado como materia idónea para la divulgación cultural y, a la vez, como instrumento proselitista. Esa variedad de metas

---

[10] El intercambio indeciso de modelos y la incertidumbre que envuelve al cuadro de costumbres como género literario han sido comentados por E. Correa Calderón en su conocida obra *Costumbristas españoles* (Madrid, Aguilar, 1950), I, pág. 634. Y también por Peter Earle, en su ensayo «Hacia una teoría de los géneros: Hispanoamérica, siglo XIX», *Insula*, CCCLII (1976), págs. 1 y 10.

[11] *Obras*, II, pág. 17.

y responsabilidades asignadas al relato nos permite explicar
la ambigüedad formal y de propósitos que exhibe la hechura
de la estampa costumbrista: diría también que esa retórica
tendenciosa y el afán de persuasión son recortes mentales
que en formas muy similares desarrolló la historiografía
americana.

Son, en parte, esas arbitrariedades las que hacen que me
parezca erróneo vincular —como tantas veces se ha hecho—
la estampa costumbrista a las *Novelas ejemplares;* principalmente porque los textos de Cervantes son creaciones imaginativas que alcanzan una organización muy refinada del
discurso narrativo [12]. Además, al situar los textos en el proceso histórico, creo necesario insistir en que las *Novelas
ejemplares* consolidaron un ciclo evolutivo de la narración
breve que tomaría rumbos no siempre afines a los objetivos
del costumbrismo [13]; ciclo que manifiesta su continuidad en
las narraciones de Alonso Castillo Solórzano (1584-1648),
Jerónimo de Salas Barbadillo (1552-1635), y en las complejas
'maravillas' y 'saraos' de María de Zayas (1590-1661). En el
siglo XIX, la expansión discreta de ese proceso evolutivo
mantuvo un tenue nivel de continuidad que se verifica, por
ejemplo, en «La tormenta» de Rosalía de Castro (1837-1885),
y en «La voz del silencio», entre otras leyendas de Bécquer.

---

[12] Pienso que la función del marco escénico en las *Novelas ejemplares* es de otra índole. Ese aspecto de los textos cervantinos fue
explorado rigurosamente por Ruth S. El Saffar en *Novel to Romance: A Study of Cervante's Novelas ejemplares* (Baltimore, The John
Hopkins University Press, 1974), págs. 30-150.

[13] Larra es, sin duda, el único narrador de la época que mantiene
una actitud vigente y crítica ante el contexto social y, más importante
aún, ante su propia escritura. Refiriéndose a ello, Montesinos añade
estos curiosos datos: «Larra, que tenía el Quijote en la uña, supo
siempre disimular hurtos, pero la impresión que deja la rica prosa
de sus artículos no es ciertamente la de un pastiche cervantesco»,
*El costumbrismo,* pág. 66.

Pero, si en definitiva existe un punto de enlace entre esa corriente de invención narrativa que inaugura Cervantes y el relato de costumbres, el vínculo habría que buscarlo en los hallazgos diversos de la novela picaresca; hallazgos que, si bien se ve, los costumbristas aprovecharon con lamentable superficialidad; y quizá no pudo ser de otra manera. Sin insistir demasiado en ello, repárese en que la narración costumbrista, en contraste con la picaresca, no intentó una exploración de la vida interior ni se detuvo ante la enajenación y las miserias que asediaron a la sociedad decimonónica[14]. Es evidente, por otra parte, que la estampa de costumbres ignoró los refinamientos expositivos y la originalidad misma que manifiesta el discurso de la picaresca.

Sobre todo en España, el artículo de costumbres se ofrece como una literatura que apenas cuestiona el contexto social del que procede, y menos aún el lenguaje de que se vale. El costumbrismo produjo un vasto *corpus* de textos que sólo ocasionalmente rebasan el perímetro estrecho de esa burguesía provinciana; burguesía que fue su fin y punto de partida. En ese ámbito tan reducido, los textos de Mariano J. de Larra serán, en más de un sentido, la excepción más notable. En «Casarse pronto y mal» y en «Modos de vivir que no dan de vivir», Larra problematiza vivencias y actitudes que poco o nada tienen que ver con la blanda materia festiva que deleitó a los costumbristas. Pero, de todas maneras, la indagación punzante y la valoración del contexto

---

[14] De la picaresca, el cuadro de costumbres retuvo, en sus formas más elementales, la proyección autobiográfica y los resabios característicos de las obras tardías; y también la predilección por el detalle gráfico y el latiguillo burlón, que entre los costumbristas suelen derivar en moraleja cursi. Véanse, por ejemplo, «La bolsa» (1837) y «La patrona de huéspedes» (1834), de Mesonero Romanos, en *Escenas matritenses, Obras*, pág. 16.

socio-político serán, por necesidad, más recias en la prosa costumbrista de América.

El estado de crisis intensa y de transformación social que trajo la independencia impuso derroteros de otra índole a las letras americanas. Aun dentro de una misma corriente literaria, el escritor hispanoamericano sentía los requerimientos urgentes de una problemática ideológica y política que poco o nada tenía que ver con Europa. Pero, en todo caso, no me parece exacto definir la narración costumbrista como resultado exclusivo de la sociedad y las letras decimonónicas. Estimo que el artículo de costumbres tiene en la tradición hispánica tipologías precursoras que se remontan a esa cuentística española de raíz popular a que me he referido en los capítulos anteriores [15]. Pienso en esta ocasión en relatos como «Viaje entretenido» de Agustín Rojas (1572-1619), *El crotalón* de Cristóbal de Villalón (1505-1581) u otros muchos que aparecen en la *Floresta española* (1524) de Melchor de Santa Cruz (1529-1595).

En las *Historias peregrinas* (1623) de Gonzalo de Céspedes y Meneses (1585-1638) se bosquejan ya regiones y tipos de España con precoz minuciosidad. Son textos que con alguna ligereza sugieren los hábitos descriptivos de la narración

---

[15] La difusión de esos relatos llegó a producir, incluso, manuales para relatar cuentos, que vienen a ser una suerte de retórica primitiva del género. Al referirse a dichos manuales, Peter Dunn observa: «But along with the telling of anecdotes, exchanges of repartee, practical jokes, acid comment and *disparates,* such as those to be found in the *Diálogos de apacible entretenimiento,* by Gaspar Lucas Hidalgo, there had been an increasing cultivation of the *cuento,* and in the narrator a growing consciousness of the craft», *Castillo Solórzano and the Decline of the Spanish Novel* (Oxford, Basil Blackwell, 1952), página 4. Se refiere el profesor Dunn a obras como *El galateo español* (1582) de Lucas Gracián Dantisco y *Conto na aldea* (1619) de E. Rodrígues Lobo. El diálogo de esta obra se titula, por cierto, «Maneyra de contar historias en conversação».

costumbrista [16]. El autobiografismo que predomina en aquellos cuentecillos de ocasión —comentados lúcidamente por
Marcel Bataillon y Fernando Lázaro Carreter [17]— y el ansia
de verosimilitud son rasgos que reaparecen muchos años
después en la narración breve a lo largo del siglo XIX [18]. La
materia tan desigual que ofrecían esas narraciones populares
—según ha demostrado Maxime Chevalier— [19] penetraría,
con el tiempo, todos los ámbitos de las letras españolas y
americanas.

Es evidente que los cuentecillos que he señalado fecundaron tanto a la historiografía de Indias como al teatro de
Lope de Vega y de Ramón de la Cruz [20]. Más aún: por esas
narraciones, a veces muy escuetas, desfilan personajes conocidos, ficticios y populares, cuyos hábitos o hazañas suelen
tomarse como sinónimo de agudeza o como mero pretexto
para la burla caprichosa. Tal es el caso, por ejemplo, de *La*

---

[16] *Las historias peregrinas* son uno de los precedentes de mayor
interés, ya que el narrador no sólo documenta la historia de pueblos
y ciudades, sino que describe los personajes típicos y más notables
de cada sitio; todo lo cual forma parte de lo que el autor relata como
«De las excelencias de España». En mi opinión, su proximidad a los
modelos italianos no desvirtúa la significación de este texto como
registro de detalles típicos y de características regionales.

[17] Ver *La vie de Lazarillo de Tormes* (Paris, Aubier, 1958), pág. 37,
y *Lazarillo de Tormes y la picaresca* (Madrid, Ariel, 1972), pág. 50.

[18] Entre muchos textos que anticipan el propósito documental de
la narración costumbrista, puede señalarse la proposición que hace
el autor del *Viaje a Turquía* al dirigirse a Felipe II: «He querido
pintar —dice el narrador— al bibo en este comentario a manera de
diálogo a V. M. el poder, vida, origen y costumbres de su enemigo».
Citado por Lázaro Carreter, *ibid.*, pág. 56.

[19] Ver *Cuentecillos tradicionales en la España del Siglo de Oro*
(Madrid, Institut D'Études Ibériques, 1971).

[20] Para más datos, véanse Joseph E. Gillet, «Doña Bisonda y Santo
Ficeto», *Hispanic Review*, X (1942), págs. 68-70, y María Rosa Lida de
Malkiel, «De centurio al mariscal de Turena: fortuna de una frase de
*La Celestina*», *Hispanic Review*, XVII (1959), págs. 150-166.

*miscelánea* de Zapata, a que he aludido. Son, además, narraciones que a menudo reflejan, desde ángulos contradictorios, el contexto social, y que de ordinario asumen un sesgo testimonial que las caracteriza. Y ésos serán, precisamente, algunos de los rasgos que con mayor amplitud y sutileza se retoman dos siglos después como distintivos del cuadro de costumbres.

Al bosquejar someramente algunos de los antecedentes de la narración costumbrista, no pretendo definirla, sin más, como una forma autóctona de las letras españolas e hispanoamericanas. De sobra sabemos hoy que *El espectador* de Addison y *L'hermite de la chausée d'Antin* de Víctor Etienne Jouy, y otras obras bien conocidas, figuran como modelos prominentes para Serafín Estébanez Calderón, Mesonero y Larra [21]. En este vasto proceso de relaciones literarias, el cuadro de costumbres alcanzó su configuración definitiva como un resumen —a veces precario— de modelos europeos y fuentes populares de la tradición hispánica. En mi opinión, esa síntesis de elementos tan diversos encontró su plenitud formal en las *Escenas andaluzas* (1847) de Estébanez, en el *Panorama* de Mesonero y en varios artículos de Larra, tales como «La diligencia»; relato este último, que se distingue por su esmerada elaboración y por el sesgo imaginativo de su contenido.

Según se concibe en esos textos, el relato costumbrista será casi siempre una narración de tono confesional, que se atiene a un marco temporal fijo y que toma como punto de referencia el contexto social inmediato. Al observar detalladamente las características específicas del relato costumbrista, Montesinos señalaba, con razón, que «se nota en ellos

---

[21] Ver Montesinos, *El costumbrismo*, págs. 41-53, y W. S. Hendrix, «Notes on Jouy's Influence on Larra», *Romanic Review*, XI (1920), página 37.

defectos casi siempre imputables al costumbrismo: un cierto desenfoque, una flojedad de contornos debida a que el interés de la peripecia se sacrifica a los accesorios, a que el autor se complace más en mostrar el *modo de estar* que el *modo de ser* de sus personajes» [22].

Esbozada de esa manera, la narración costumbrista aparece habitualmente como materia edificante, que intensifica su expresividad con los recursos de la palabra hablada y que busca, a la vez, el prestigio intelectual que asociamos con las investigaciones documentales. Por ser así, el artículo de costumbres adopta, con frecuencia, un cariz paródico y retratista. Sólo que esos relatos tienden a una suerte de retratismo doble, que fija tanto la imagen del sujeto como la del relator; tendencia que revela una bifurcación característica de estas narraciones y que es motivada por la postura a veces indecisa que el narrador asume ante el texto.

A nivel estructural, ese desdoblamiento reiterado del punto de vista conduce a una yuxtaposición de estratos narrativos desiguales, que se entrecruzan y que, al ser percibidos de golpe, suelen desfigurar la imagen del texto. La narración integra, pues, un discurso mixto, que determina la polisemia sintomática del género, pero que en muchos casos trastorna la efectividad del mensaje verbal. Insisto en que esa articulación contradictoria de la materia narrativa era inevitable, si se toma en cuenta que el cuadro de costumbres aparece condicionado, desde un principio, por exigencias muchas veces ajenas a la organización del discurso literario como tal.

La imagen de *collage* que asociamos con la narración costumbrista puede verificarse fácilmente en «La feria de Jocotenango» del guatemalteco José Milla (1822-1882) y también

---

[22] *Ibid.*, pág. 61.

en «El diecinueve de marzo» de Mesonero, que éste incluyó en sus *Memorias de un sesentón* (1882). El relato de Milla evoca una crónica local, que aprovecha inclusive los trucos más simples del reportaje; se intercalan allí anuncios y textos de avisos: «Una buena gratificación por el allasgo [*sic*] de un gabán...»[23]; y a su vez la narración construye un suceso imaginario, que gradualmente se extravía hacia las áreas laterales del relato y deriva en una secuencia deshilachada de comentarios accidentales[24].

De hecho, la estampa costumbrista se afirma en su capacidad para reproducir un ambiente que el lector vuelve a contemplar con los privilegios y alternativas del espectador enterado. El texto, de esa manera, llega a transformarse en una suerte de espectáculo o de proyección gráfica de sucesos muy variados. El cuadro de costumbres, como su indecisa nomenclatura lo indica, es, pues, narración detallista, que aspira a una endeble perspectiva espacial, en que se exaltan los motivos necesarios para caracterizar la escena evocada.

De ahí la predilección por el dato pintoresco, el sesgo regionalista y la manolería que pesa sobre esos textos. Pero añadiré que esa preferencia por lo gráfico no produce la organización espacial de la materia narrativa —por cierto mucho más compleja— que hemos disfrutado en los primeros cuentos de Rubén Darío o en las *Sonatas* de Valle

---

[23] *El canasto de sastre* (Guatemala, Tipología Nacional, 1935), página 32.

[24] Y es así porque el foco del artículo está casi siempre en lo sorpresivo del asunto y no en la singularidad del hecho. Ricardo Latchman, al examinar las imperfecciones de la narrativa costumbrista, apunta, con razón, que «desde varios ángulos los románticos todavía se estrellaban con invencibles dificultades. Desconocían la técnica del relato, improvisaban, y constantemente sus esfuerzos servían mejor las finalidades políticas que la veracidad y pulcritud indispensables para el creador», *Antología del cuento hispanoamericano contemporáneo* (Santiago de Chile, Zig-Zag, 1958), pág. 13.

Inclán. El costumbrismo se empeñó, más bien, en una orna-
mentación efectista de escenas típicas; sólo que —como el
lector podrá intuir— el relato no puede apoyarse, como la
pintura, en una superficial elaboración decorativa de la anécdota, ya que los valores cromáticos y gráficos, presentes en
el texto, se consiguen mediante un proceso de analogías y
paralelismos que sustituyen la observación directa y otorgan
al recuerdo el lugar que pertenece a la experiencia óptica
como tal.

En general, el empeño por lograr una 'escritura dibujada'
aproxima el cuadro de costumbres —sobre todo en las *Escenas* de Estébanez— a la pintura de género propiamente
dicha. En ese sentido, es curioso, por cierto, que los costumbristas, una y otra vez, nos inviten a la contemplación
del texto como si en efecto se tratara de una creación plás-
tica. Mesonero, entre otros, lo subrayó más de una vez:

> Propúseme desarrollar mi plan por medio de ligeros bos-
> quejos o cuadros de caballete en que, ayudado de una acción
> dramática y sencilla, caracteres verosímiles y variados, y diá-
> logo animado y castizo, procurase reunir en lo posible el interés
> y las condiciones principales de la novela y el drama [25].

Creo, a propósito de esas aclaraciones, que el concepto
de lo verosímil a que alude Mesonero es, en parte, lo que
sustrae el contenido imaginario de la narración y hace que
el personaje, en vez de transformarse en un acto sutil de
exploración, se convierta en un 'tipo' que padece una visible
penuria vital y que apenas ilustra los rasgos del contexto
que lo genera.

En contraste directo con el cuento literario, el cuadro
de costumbres se perfila como una narración que sólo ocasionalmente remite a su propia hechura. Siempre es posible,

---

[25] *Panorama*, pág. 12.

claro está, seleccionar narraciones de esa índole en que se logran hallazgos perdurables. Tal sería, entre muchos ejemplos a mano, el caso de «El collar de perlas» de Estébanez, «El castellano viejo» de Larra, «El chapín» de Milla, y, muy especialmente, «El matadero» de Echeverría. Pero nótese que, si esos textos se destacan, es principalmente por lo que tienen de excepcionales como creaciones imaginativas.

## III

Con los rasgos que he resumido hasta aquí, se extendió por América la narración costumbrista. Sabemos, por cierto, que en algunos países, notablemente en Colombia, Perú y Costa Rica, entre otros, esas estampas saturaron el ámbito literario de la época. Al destacar la producción desorbitada de esas narraciones, Baldomero Sanín Cano señalaba que, en Colombia, «hubo una época caracterizada por el cuadro de costumbres. El literato hacía el estreno de su vida literaria con obras de esta clase». Y en la página siguiente añade: «La ola romántica trajo entre nosotros la boga del cuadro de costumbres. Se abusó del género porque su aparente facilidad convidaba a los escritores inexpertos» [26].

---

[26] *Letras colombianas* (México, Imp. Mundial, 1944), pág. 94. En ese contexto interesa, además, la definición que ofrece José Manuel Marroquín del cuadro de costumbres, ya que alude tanto a los propósitos como a la estructura misma de la narración: «Un artículo de costumbres —dijo Marroquín— es la narración de uno o más sucesos, de los comunes y ordinarios, hecha en tono ligero y salpicada de observaciones picantes y de chistes de todo género. De esta narración ha de resultar o una pintura viva y animada de lo malo o de lo ridículo que haya en ella; mas esta demostración han de hacerla los hechos por sí solos, sin que el autor tenga que introducir reflexiones o disertaciones morales para advertir al lector cuál es la conclusión que debe sacar de lo que ha leído». Citado por Altamar, *La evolución*, página 128.

Así, desafortunadamente, gran parte de la narrativa americana malgastó su impulso creador en descripciones que se ocupan casi siempre de asuntos efímeros y de nuestros hábitos más pintorescos. Pero en América —por razones culturales e históricas que no podría elucidar aquí— el cuadro de costumbres diversificará aún más sus metas. Las circunstancias variadísimas, y casi siempre precarias, del mundo americano no podían reducirse en toda ocasión a los esquemas burgueses que ofrecían los modelos europeos. El argentino Juan María Gutiérrez (1809-1878), entre otros, no tardó en reconocerlo:

> Debemos fijarnos antes en nuestras necesidades y exigencias, en el estado de nuestra sociedad y su índole, y sobre todo en el destino que nos está reservado en este gran drama del universo, en que los pueblos son actores. Tratemos de darnos una educación análoga y en armonía con nuestros hombres y con nuestras cosas; y si hemos de tener una literatura, hagamos que sea *nacional* [27].

Alberdi, por su cuenta, admitía que si «Larra no basta a España, basta mucho menos a la América» [28]. Será cada vez más evidente que, en el mundo americano, el cuadro de costumbres asume una voluntad de afirmación cultural y de responsabilidad crítica que le lleva más allá del simple *roman des moeurs*. Puede decirse que, en el Nuevo Mundo, la escritura suelta de esas estampas a menudo incorpora una tensión dialéctica que le aproximará al ensayo y que anticipa la orientación intelectual que destaca en la narrativa criollista del siglo xx.

---

[27] *Salón literario* (Buenos Aires, Hachette, 1958), págs. 24-25.
[28] Citado por J. C. Ghiano en *El matadero de Echeverría y el costumbrismo* (Buenos Aires, Centro Editor de América Latina, 1968), página 68.

Al mantener ese rumbo, los vínculos formales entre el cuadro de costumbres y el cuento literario —que entonces apenas despuntaba— serán tangenciales por necesidad. Y, cuando ambas formas se entrecruzan, el resultado será, casi siempre, un texto confuso. Esto se manifiesta con toda claridad en «Tres desenlaces ilógicos» de José López Portillo y Rojas (1850-1923), «En el prefacio de Francisco Vera» de Tomás Carrasquilla (1858-1940) y en una variedad inconmensurable de textos similares. Ajeno aún a las sutilezas que exigía el cuento literario, el cuadro de costumbres retenía con igual facilidad la paráfrasis del refrán, la nota marginal o las descripciones de algún detalle curioso; detalle que accidentalmente puede dar pie a casi toda la materia anecdótica de la narración.

De ese ardid, tan frecuentemente utilizado, se vale una y otra vez José Caicedo Rojas al comentar, en su relato «El tiple», el origen y peculiaridad del instrumento. Su narración, como casi todas las de su época, se convierte en una retahíla arbitraria de apuntes ocasionales, coplas y resabios majaderos de erudición literaria:

> Mas para un simple artículo de periódico hemos tomado el asunto de muy atrás: ni más ni menos como si para cantar la guerra de Troya nos hubiéramos remontado al nacimiento de Elena, cosa que no habría gustado mucho al viejo Horacio [29].

Debido a la aceptación que alcanzaron narraciones de esa naturaleza, puede afirmarse que el cuento romántico apareció, tanto en España como en América, en la periferia de la actividad literaria. En sus estadios iniciales, el cuento surge dominado por el ensimismamiento lírico e indeciso en su forma. «La suegra del diablo» de Fernán Caballero (1796-

---

[29] *Cuadros de costumbres* (Bogotá, Edit. Minerva, s. f.), páginas 129-140.

1877) y «El pájaro verde» de Juan Valera (1824-1901) son dos ejemplos adecuados de este titubeo formal a que me he referido. Pero son, en todo caso, narraciones en las que ya surge algo de la tensión espasmódica que hemos conocido en los textos de Hoffmann y Poe. Rasgos de esa proyección imaginativa aparecerían también en «Peregrinación a la luz del día» de Juan Bautista Alberdi; relato en el que, según declaraciones suyas, quiso alcanzar «el cuento fantástico, aunque menos fantástico que los de Hoffmann»[30].

Pero, como ha consignado oportunamente Juan Carlos Ghiano, esas narraciones de Alberdi, entre otros, estaban igualmente próximas tanto a las creaciones de Hoffmann como a las *Lettres Persanes* de Montesquieu y *Las cartas marruecas* de Cadalso. En la cuentística argentina, por ejemplo, el «Horacio Kalibang o los autómatas» de Eduardo L. Halmberg (1852-1937) y «Fantasía» de Tomás Guido (1818-1890) aparecen como formas primarias del cuento literario. Y, en aquellos años, fue acaso el argentino Roberto J. Payró (1867-1928) uno de los primeros en comprender y dominar los resortes esquivos del cuento literario.

En México, José María Roa Bárcena (1827-1908), con su relato «Lanchitas», y Manuel Payno (1810-1894), en «Tardes nubladas», se aproximaron discretamente a los refinamientos formales que postulaba el cuento. En esos textos despuntan, por ejemplo, el lenguaje preciso y las condensaciones estilísticas que se admiraban entonces en los relatos de Alponse Daudet, Chejov y Guy de Maupassant.

En sus estadios más logrados, el cuento perseguía, sobre todo, las economías sutiles del lenguaje poético; discurso que sólo de manera ocasional encontramos en el cuadro de costumbres. Sin lugar a dudas, hacia 1870 el cuento apor-

---

[30] Citado por Ghiano, *El matadero*, pág. 11.

taba a las letras americanas algunas de las creaciones más logradas de nuestra prosa de ficción. Es indiscutible, además, que el proceso de perfeccionamiento formal de nuestra narrativa breve fue accidentalmente favorecido por la sensibilidad modernista. «El fardo» (1887) de Rubén Darío es ya, en todos los órdenes, una elaboración finísima, en que se equilibran el lenguaje recrudecido de los naturalistas y la sensualidad poética de los parnasianos. En ese contexto —tan distante de los avatares descriptivos del costumbrismo— aparecen, entre otras cosas, la poetización del azar y de los espacios enigmáticos de la actividad humana. Sin que su materia sea ajena al contexto, «El fardo» se consolida como un espacio imaginario de esa índole y que contiene en sí todas sus posibilidades; es una creación autárquica, que abarca la totalidad de las circunstancias elegidas por el narrador.

Se observará en todo momento que ese texto de Darío fluye a partir de una causalidad que emite la estructura narrativa como tal. En contraste con la estampa costumbrista, en «El fardo» el móvil de la narración no es accidental o externo, sino que aparece en función de las exigencias sutiles que impone el discurso narrativo. De ahí el impacto indeleble que suele producir el cuento literario. Con esos relatos de Darío y «La mañana de San Juan» (1883) de Manuel Gutiérrez Nájera, entre muchos otros, el cuento hispanoamericano se alejaba para siempre de la pirueta sintáctica y del material de relleno que aprovechó la narración costumbrista.

En el siglo XIX, pocos comprendieron que, en el cuento, la información no valdría como tal, sino que se desdobla para suscitar nuevos planos de asociación. Lo que pudo ser un detalle ocasional en la narración costumbrista, será a menudo, en el cuento, el acto que inicia un desenvolvimiento vertiginoso e inesperado de sucesos; sucesos que, al vincularse en el flujo del relato, producen ese efecto de estallido o de nudo emotivo que percibiríamos en «El almohadón de plumas» de Horacio Quiroga, en «El disparo» de Pushkin [31], o en muchos textos de Kafka y Nabokov. Pero al mismo tiempo, es necesario indicar que, en las letras americanas, relatos muy anteriores habían profetizado esa concepción intensa y casi misteriosa del discurso narrativo. «Fiebre amarilla» (1868) de Justo Sierra, por ejemplo, inauguraba con éxito procedimientos que hoy, con toda seguridad, reconoceríamos como rasgos inherentes al cuento literario [32].

Si, a fines del siglo, el relato costumbrista agota sus posibilidades, es porque aquellos textos insistían en postular una relación insostenible entre los convencionalismos literarios y la realidad circundante [33]. En gran medida, el desgaste imaginativo de la narración costumbrista radica, pues, en que el texto asume como orden primigenio la realidad exterior y en que el discurso se constituye como signo de la

---

[31] Es esa cualidad sutil y enormemente efectiva a la que se refiere Julio Cortázar en su conocido ensayo «Del cuento breve y sus alrededores»: «La tensión del cuento —dice Cortázar— nació de esa eliminación fulgurante de ideas intermedias, de etapas preparatorias, de toda retórica literaria deliberada, puesto que había en juego una operación en alguna medida fatal, que no toleraba pérdida de tiempo», *El último round* (Buenos Aires, Siglo XXI, 1969), pág. 38.

[32] Esa narración ha sido admirablemente estudiada por José J. Arrom en «Mitos taínos en las letras de Cuba, Santo Domingo y México», *Cuadernos Americanos*, CLXVIII (1970), págs. 110-123.

[33] Sobre esa engañosa equivalencia entre el texto y el ámbito descrito, consúltese el ensayo de F. Lázaro Carreter «El realismo como concepto crítico literario», *Cuadernos Hispanoamericanos*, 238-240 (1969), páginas 128-151. Esas contradicciones se comentan con una perspectiva mucho más amplia en *Documents of Modern Literary Realism*. Ed. George J. Becker (Princeton, University Press, 1968). Interesan, además, los ensayos de Roland Barthes, Gérard Genette, Julia Kristeva y Violeta Morin, entre otros, que aparecen en *Lo verosímil* (Buenos Aires, Editorial Tiempo Contemporáneo, 1972).

misma. Así, desprovistas de otras posibilidades, esas estampas descriptivas se aferran cada vez más al material pintoresco y a los ripios de la historia americana.

Al concluir diría que, por esas razones, la narración costumbrista aparece hoy como una escritura envejecida, que evoca la presencia borrosa del daguerrotipo. Son relatos en los que —como dijera sabiamente Mark Schorer— «el relator ya no se preocupa por alcanzar una valoración significativa de la existencia, y por ello se complace en la mera descripción de lo que le circunda» [34].

El cuadro de costumbres y el cuento literario son, por decirlo así, dos creaciones que apuntan hacia niveles desiguales de la experiencia literaria. Por eso me parece contraproducente, en el análisis crítico, proponer un alineamiento directo entre esas dos tipologías narrativas. No se trata, según hemos verificado, de dos estadios consecutivos en la evolución de un género. Pero creo que, si de ordinario se mantiene esa perspectiva, es porque muchos desconocen los verdaderos antecedentes de ambas formas y porque el artículo de costumbres conquistó un espacio y un hábito de lectura que hoy, de una forma u otra, asociamos con el cuento literario.

---

[34] «The Necessity of Myth», en *William Blake* (New York, Henry Holt, 1946), pág. 357.

# ÍNDICE DE NOMBRES

# 218                      *Vocación literaria en América*

Séneca, L. A., 41.
Serrano, P., 56, 57.
Shotwell, J. T., 42.
Sierra, J., 211.
Sigüenza y Góngora, C., 163.
Simón, Fray P., 91.
Solís, A. de, 34, 41, 71, 90, 166.
Spencer, J. R., 86.
Speroni, S., 88.
Struever, N., 80, 85.
Suárez de Figueroa, G., 102.
Swjourne, L., 45.

Taylor, A., 145.
Thompson, S., 150.
Tito Livio, 30, 81.
Todorov, T., 32, 76, 144.
Tordoya, G. de, 117.
Torres, B. de (Padre), 91.
Torres, D. de, 196.
Torres Revello, J., 158.
Torres de Villarroel, D., 183.
Tubal, 50.
Tucídides, 39, 78.
Tuñón de Lara, M., 16.

Ulloa, A., 166.
Uslar Pietri, A., 98, 159.

Valbuena Prat, A., 114.
Valera, J., 209.
Valla, L., 73, 80, 82, 84, 85, 87.
Valle Inclán, R. M. del, 204.
Varner, J. G., 99, 102, 106, 111.
Vega, G. de la (Inca), 17, 19, 22, 37, 41, 52, 53, 55, 56, 79, 84, 87, 90, 95-100, 102, 103, 107-110, 118, 119, 136, 149, 154, 155, 166, 167, 187.
Vega, L. de, 114, 142.
Venegas, A., 79.
Vespucio, A., 43.
Vico, G., 15, 169.
Villalón, C. de, 200.
Villaverde, C., 195.
Vives, J. L., 11, 48, 73.
Voltaire, F. M., 168.

Walsh, W. H., 15.
Wardropper, B., 28.
Washburn, W. E., 39.
Weber de Kurlat, F., 30.
Weckman, L., 45, 47, 51.
Williard, C., 15.

Zapata, L., 73.
Zárate, A. de, 48, 166.
Zavala, I., 171.
Zavala, S., 39.
Zayas, M. de, 198.

# ÍNDICE GENERAL

# BIBLIOTECA ROMÁNICA HISPÁNICA

Dirigida por: Dámaso Alonso

## I. TRATADOS Y MONOGRAFÍAS

107. Gariano, C.: *El mundo poético de Juan Ruiz.* Segunda edición corregida y ampliada. 272 págs.
109. Fogelquist, D. F.: *Españoles de América y americanos de España.* 348 págs.
110. Pottier, B.: *Lingüística moderna y filología hispánica.* Reimpresión. 246 págs.
111. Kock, J. de: *Introducción al Cancionero de Miguel de Unamuno.* 198 págs.
112. Alazraki, J.: *La prosa narrativa de Jorge Luis Borges (Temas-Estilo).* Segunda edición aumentada. 438 págs.
113. Debicki, A. P.: *Estudios sobre poesía española contemporánea (La generación de 1924-1925).* Segunda edición en prensa.
114. Zardoya, C.: *Poesía española del siglo XX (Estudios temáticos y estilísticos).* 4 vols. (Segunda edición muy aumentada de la obra *Poesía española del 98 y del 27*). 1.398 págs.
115. Weinrich, H.: *Estructura y función de los tiempos en el lenguaje.* Reimpresión. 430 págs.
116. Regalado García, A.: *El siervo y el Señor (La dialéctica agónica de Miguel de Unamuno).* 220 págs.
117. Beser, S.: *Leopoldo Alas, crítico literario.* 372 págs.
118. Bermejo Marcos, M.: *Don Juan Valera, crítico literario.* 256 págs.
119. Salinas de Marichal, S.: *El mundo poético de Rafael Alberti.* Reimpresión. 272 págs.
120. Tacca, O.: *La historia literaria.* 204 págs.
121. *Estudios críticos sobre el modernismo.* Introducción, selección y bibliografía general por H. Castillo. Reimpresión. 416 págs.
122. Macrí, O.: *Ensayo de métrica sintagmática (Ejemplos del «Libro de Buen Amor» y del «Laberinto» de Juan de Mena).* 296 págs.
123. Zamora Vicente, A.: *La realidad esperpéntica (Aproximación a «Luces de bohemia»).* Premio Nacional de Literatura. Segunda edición ampliada. 220 págs.
125. Goode, H. D.: *La prosa retórica de Fray Luis de León en «Los nombres de Cristo» (Aportación al estudio de un estilista del Renacimiento español).* 186 págs.
126. Green, O. H.: *España y la tradición occidental (El espíritu castellano en la literatura desde «El Cid» hasta Calderón).* 4 vols.
127. Schulman, I. A. y González, M. P.: *Martí, Darío y el modernismo.* Reimpresión. 268 págs.
128. Zubizarreta, A. de: *Pedro Salinas: El diálogo creador.* Prólogo de J. Guillén. 424 págs.
129. Fernández-Shaw, G.: *Un poeta de transición. Vida y obra de Carlos Fernández Shaw (1865-1911).* 340 págs. 1 lámina.
130. Camacho Guizado, E.: *La elegía funeral en la poesía española.* 424 páginas.
131. Sánchez Romeralo, A.: *El villancico (Estudios sobre la lírica popular en los siglos XV y XVI).* 624 págs.
132. Rosales, L.: *Pasión y muerte del Conde de Villamediana.* 252 págs.

133. Arróniz, O.: *La influencia italiana en el nacimiento de la comedia española.* 340 págs.
134. Catalán, D.: *Siete siglos de romancero (Historia y poesía).* 224 págs.
135. Chomsky, N.: *Lingüística cartesiana (Un capítulo de la historia del pensamiento racionalista).* Reimpresión. 160 págs.
136. Kany, Ch. E.: *Sintaxis hispanoamericana.* Reimpresión. 552 págs.
137. Alvar, M.: *Estructuralismo, geografía lingüística y dialectología actual.* Segunda edición ampliada. 266 págs.
138. Richthofen, E. von: *Nuevos estudios épicos medievales* 294 págs.
140. Cohen, J.: *Estructura del lenguaje poético.* Reimpresión. 228 págs.
141. Livingstone, L.: *Tema y forma en las novelas de Azorín.* 242 págs.
142. Catalán, D.: *Por campos del romancero (Estudios sobre la tradición oral moderna).* 310 págs.
143. López, M.ª L.: *Problemas y métodos en el análisis de preposiciones.* Reimpresión. 224 págs.
144. Correa, G.: *La poesía mítica de Federico García Lorca.* Segunda edición. 250 págs.
145. Tate, R. B.: *Ensayos sobre la historiografía peninsular del siglo XV.* 360 págs.
146. García Barrón, C.: *La obra crítica y literaria de Don Antonio Alcalá Galiano.* 250 págs.
147. Alarcos Llorach, E.: *Estudios de gramática funcional del español.* Tercera edición. 352 págs.
148. Benítez, R.: *Bécquer tradicionalista.* 354 págs.
149. Araya, G.: *Claves filológicas para la comprensión de Ortega.* 250 págs.
150. Martinet, A.: *El lenguaje desde el punto de vista funcional.* Reimpresión. 218 págs.
151. Irizarry, E.: *Teoría y creación literaria en Francisco Ayala.* 274 págs.
152. Mounin, G.: *Los problemas teóricos de la traducción.* Segunda edición revisada. 338 págs.
153. Peñuelas, M. C.: *La obra narrativa de Ramón J. Sender.* 294 págs.
154. Alvar, M.: *Estudios y ensayos de literatura contemporánea.* 410 págs.
155. Hjelmslev, L.: *Prolegómenos a una teoría del lenguaje.* Segunda edición. Reimpresión. 198 págs.
156. Zuleta, E. de: *Cinco poetas españoles (Salinas, Guillén, Lorca, Alberti, Cernuda).* Segunda edición aumentada. 526 págs.
157. Fernández Alonso, M.ª del R.: *Una visión de la muerte en la lírica española (La muerte como amada).* Premio Rivadeneira. Premio Nacional Uruguayo de Ensayo. 450 págs. 5 láminas.
158. Rosenblat, A.: *La lengua del «Quijote».* Reimpresión. 380 págs.
159. Pollmann, L.: *La «Nueva Novela» en Francia y en Iberoamérica.* 380 págs.
160. Capote Benot, J. M.ª: *El período sevillano de Luis Cernuda.* Prólogo de F. López Estrada. 172 págs.
161. García Morejón, J.: *Unamuno y Portugal.* Prólogo de Dámaso Alonso. Segunda edición corregida y aumentada. 580 págs.

162. Ribbans, G.: *Niebla y soledad (Aspectos de Unamuno y Machado).* 332 págs.
163. Scholberg, K. R.: *Sátira e invectiva en la España medieval.* 376 págs.
164. Parker, A. A.: *Los pícaros en la literatura (La novela picaresca en España y Europa, 1599-1753).* Segunda edición. 218 págs. 11 láminas.
165. Rudat, E. M.: *Las ideas estéticas de Esteban de Arteaga (Orígenes, significado y actualidad).* 340 págs.
166. San Miguel, A.: *Sentido y estructura del «Guzmán de Alfarache» de Mateo Alemán.* Prólogo de F. Rauhut. 312 págs.
167. Marcos Marín, F.: *Poesía narrativa árabe y épica hispánica (Elementos árabes en los orígenes de la épica hispánica).* 388 págs.
168. Cano Ballesta, J.: *La poesía española entre pureza y revolución (1930-1936).* 284 págs.
169. Corominas, J.: *Tópica hespérica (Estudios sobre los antiguos dialectos, el substrato y la toponimia romances).* 2 vols. 840 págs.
170. Amorós, A.: *La novela intelectual de Ramón Pérez de Ayala.* 500 págs.
171. Porqueras Mayo, A.: *Temas y formas de la literatura española.* 196 págs.
172. Brancaforte, B.: *Benedetto Croce y su crítica de la literatura española.* 152 págs.
173. Martín, C.: *América en Rubén Darío (Aproximación al concepto de la literatura hispanoamericana).* 276 págs.
174. García de la Torre, J. M.: *Análisis temático de «El Ruedo Ibérico».* 362 págs.
175. Rodríguez-Puértolas, J.: *De la Edad Media a la edad conflictiva (Estudios de literatura española).* 406 págs.
176. López Estrada, F.: *Poética para un poeta (Las «Cartas literarias a una mujer» de Bécquer).* 246 págs.
177. Hjelmslev, L.: *Ensayos lingüísticos.* 362 págs.
178. Alonso, D.: *En torno a Lope (Marino, Cervantes, Benavente, Góngora, los Cardenios).* 212 págs.
179. Pabst, W.: *La novela corta en la teoría y en la creación literaria (Notas para la historia de su antinomia en las literaturas románicas).* 510 págs.
180. Rumeu de Armas, A.: *Alfonso de Ulloa, introductor de la cultura española en Italia.* 192 págs. 2 láminas.
181. León, P. R.: *Algunas observaciones sobre Pedro de Cieza de León y la Crónica del Perú.* 278 págs.
182. Roberts, G.: *Temas existenciales en la novela española de postguerra.* Segunda edición corregida y aumentada. 326 págs.
184. Durán, A.: *Estructura y técnicas de la novela sentimental y caballeresca.* 182 págs.
185. Beinhauer, W.: *El humorismo en el español hablado (Improvisadas creaciones espontáneas).* Prólogo de R. Lapesa. 270 págs.
186. Predmore, M. P.: *La poesía hermética de Juan Ramón Jiménez (El «Diario» como centro de su mundo poético).* 234 págs.
187. Manent, A.: *Tres escritores catalanes: Carner, Riba, Pla.* 338 págs.

188. Bratosevich, N. A. S.: *El estilo de Horacio Quiroga en sus cuentos.* 204 págs.
189. Soldevila Durante, I.: *La obra narrativa de Max Aub (1929-1969).* 472 págs.
190. Pollmann, L.: *Sartre y Camus (Literatura de la existencia).* 286 págs.
191. Bobes Naves, M.ª del C.: *La semiótica como teoría lingüística.* Segunda edición revisada y ampliada. 274 págs.
192. Carilla, E.: *La creación del «Martín Fierro».* 308 págs.
193. Coseriu, E.: *Sincronía, diacronía e historia (El problema del cambio lingüístico).* Tercera edición. 290 págs.
194. Tacca, O.: *Las voces de la novela.* Segunda edición corregida y aumentada. 206 págs.
195. Fortea, J. L.: *La obra de Andrés Carranque de Ríos.* 240 págs.
196. Náñez Fernández, E.: *El diminutivo (Historia y funciones en el español clásico y moderno).* 458 págs.
197. Debicki, A. P.: *La poesía de Jorge Guillén.* 362 págs.
198. Doménech, R.: *El teatro de Buero Vallejo (Una meditación española).* 372 págs.
199. Márquez Villanueva, F.: *Fuentes literarias cervantinas.* 374 págs.
200. Orozco Díaz, E.: *Lope y Góngora frente a frente.* 410 págs. 8 láminas.
201. Muller, Ch.: *Estadística lingüística.* 416 págs.
202. Kock, J. de: *Introducción a la lingüística automática en las lenguas románicas.* 246 págs.
203. Avalle-Arce, J. B.: *Temas hispánicos medievales (Literatura e historia).* 390 págs.
204. Quintián, A. R.: *Cultura y literatura españolas en Rubén Darío.* 302 páginas.
205. Caracciolo Trejo, E.: *La poesía de Vicente Huidobro y la vanguardia.* 140 págs.
206. Martín, J. L.: *La narrativa de Vargas Llosa (Acercamiento estilístico).* 282 págs.
207. Nolting-Hauff, I.: *Visión, sátira y agudeza en los «Sueños» de Quevedo.* 318 págs.
208. Phillips, A. W.: *Temas del modernismo hispánico y otros estudios.* 360 págs.
209. Mayoral, M.: *La poesía de Rosalía de Castro.* Prólogo de R. Lapesa. 596 págs.
210. Casalduero, J.: *«Cántico» de Jorge Guillén y «Aire nuestro».* 268 págs.
211. Catalán, D.: *La tradición manuscrita en la «Crónica de Alfonso XI».* 416 págs.
212. Devoto, D.: *Textos y contextos (Estudios sobre la tradición).* 610 páginas.
213. López Estrada, F.: *Los libros de pastores en la literatura española (La órbita previa).* 576 págs. 16 láminas.
214. Martinet, A.: *Economía de los cambios fonéticos (Tratado de fonología diacrónica).* 564 págs.

215. Sebold, R. P.: *Cadalso: el primer romántico «europeo» de España.* 294 págs.

216. Cambria, R.: *Los toros: tema polémico en el ensayo español del siglo XX.* 386 págs.

217. Percas de Ponseti, H.: *Cervantes y su concepto del arte (Estudio crítico de algunos aspectos y episodios del «Quijote»).* 2 vols. 690 págs.

218. Hammarström, G.: *Las unidades lingüísticas en el marco de la lingüística moderna.* 190 págs.

219. Salvador Martínez, H.: *El «Poema de Almería» y la épica románica.* 478 págs.

220. Casalduero, J.: *Sentido y forma de «Los trabajos de Persiles y Segismunda».* 236 págs.

221. Bandera, C.: *Mimesis conflictiva (Ficción literaria y violencia en Cervantes y Calderón).* Prólogo de R. Girard. 262 págs.

222. Cabrera, V.: *Tres poetas a la luz de la metáfora: Salinas, Aleixandre y Guillén.* 228 págs.

223. Ferreres, R.: *Verlaine y los modernistas españoles.* 272 págs.

224. Schrader, L.: *Sensación y sinestesia (Estudios y materiales para la prehistoria de la sinestesia y para la valoración de los sentidos en las literaturas italiana, española y francesa).* 528 págs.

225. Picon Garfield, E.: *¿Es Julio Cortázar un surrealista?* 266 págs. 5 láminas.

226. Peña, A.: *Américo Castro y su visión de España y de Cervantes.* 318 págs.

227. Palmer, L. R.: *Introducción crítica a la lingüística descriptiva y comparada.* 586 págs. 1 lámina.

228. Pauk, E.: *Miguel Delibes: Desarrollo de un escritor (1947-1974).* 330 páginas.

229. Molho, M.: *Sistemática del verbo español (Aspectos, modos y tiempos).* 2 vols. 780 págs.

230. Gómez-Martínez, J. L.: *Américo Castro y el origen de los españoles: Historia de una polémica.* 242 págs.

231. García Sarriá, F.: *Clarín o la herejía amorosa.* 302 págs.

232. Santos Escudero, C.: *Símbolos y Dios en el último Juan Ramón Jiménez.* 566 págs.

233. Taylor, M. C.: *Sensibilidad religiosa de Gabriela Mistral.* 232 págs. 4 láminas.

234. *De la teoría lingüística a la enseñanza de la lengua.* Publicada bajo la dirección de J. Martinet, con la colaboración de O. Ducrot, D. François, F. François, B.-N. Grunig, M. Mahmoudian, A. Martinet, G. Mounin, T. Tabouret-Keller y H. Walter. 262 págs.

235. Trabant, J.: *Semiología de la obra literaria (Glosemántica y teoría de la literatura).* 370 págs.

236. Montes, H.: *Ensayos estilísticos.* 186 págs.

237. Cerezo Galán, P.: *Palabra en el tiempo (Poesía y filosofía en Antonio Machado).* 614 págs.

238. Durán, M. y González Echevarría, R.: *Calderón y la crítica: Historia y Antología*. 2 vols. 786 págs.
239. Artiles, J.: *El «Libro de Apolonio», poema español del siglo XIII*. 222 págs.
240. Morón Arroyo, C.: *Nuevas meditaciones del «Quijote»*. 366 págs.
241. Geckeler, H.: *Semántica estructural y teoría del campo léxico*. 390 páginas.
242. Aranguren, J. L. L.: *Estudios literarios*. 350 págs.
243. Molho, M.: *Cervantes: Raíces folklóricas*. 358 págs.
244. Baamonde, M. A.: *La vocación teatral de Antonio Machado*. 306 págs.
245. Colón, G.: *El léxico catalán en la Romania*. 542 págs.
246. Pottier, B.: *Lingüística general (Teoría y descripción)*. 426 págs.
247. Carilla, E.: *El libro de los «misterios»: «El lazarillo de ciegos caminantes»*. 190 págs.
248. Almeida, J.: *La crítica literaria de Fernando de Herrera*. 142 págs.
249. Hjelmslev, L.: *Sistema lingüístico y cambio lingüístico*. 262 págs.
250. Blanch, A.: *La poesía pura española (Conexiones con la cultura francesa)*. 354 págs.
251. Hjelmslev, L.: *Principios de gramática general*. 384 págs.
252. Hess, R.: *El drama religioso románico como comedia religiosa y profana (Siglos XV y XVI)*. 334 págs.
253. Wandruszka, M.: *Nuestros idiomas: comparables e incomparables*. 2 vols. 788 págs.
254. Debicki, A. P.: *Poetas hispanoamericanos contemporáneos*. 266 págs.
255. Tejada, J. L.: *Rafael Alberti, entre la tradición y la vanguardia (Poesía primera: 1920-1926)*. Prólogo de F. López Estrada. 650 págs.
256. List, G.: *Introducción a la psicolingüística*. 198 págs.
257. Gurza, E.: *Lectura existencialista de «La Celestina»*. 352 págs.
258. Correa, G.: *Realidad, ficción y símbolo en las novelas de Pérez Galdós (Ensayo de estética realista)*. 308 págs.
259. Coseriu, E.: *Principios de semántica estructural*. 248 págs.
260. Arróniz, O.: *Teatros y escenarios del Siglo de Oro*. 272 págs.
261. Risco, A.: *El demiurgo y su mundo. Hacia un nuevo enfoque de la obra de Valle-Inclán*. 310 págs.
262. Schlieben-Lange, B.: *Iniciación a la sociolingüística*. 200 págs.
263. Lapesa, R.: *Poetas y prosistas de ayer y de hoy*. 424 págs.
264. Camamis, G.: *Estudios sobre el cautiverio en el Siglo de Oro*. 262 páginas.
265. Coseriu, E.: *Tradición y novedad en la ciencia del lenguaje (Estudios de historia de la lingüística)*. 374 págs.
266. Stockwell, R. P. y Macaulay, R. K. S. (eds.): *Cambio lingüístico y teoría generativa*. 398 págs.
267. Zuleta, E. de: *Arte y vida en la obra de Benjamín Jarnés*. 278 págs.
268. Kirkpatrick, S.: *Larra: El laberinto inextricable de un romántico liberal*. 298 págs.
269. Coseriu, E.: *Estudios de lingüística románica*. 314 págs.

270. Anderson, J. M.: *Aspectos estructurales del cambio lingüístico*. 374 páginas.

271. Bousoño, C.: *El irracionalismo poético (El símbolo)*. Premio Nacional de Literatura 1978. 458 págs.

272. Coseriu, E.: *El hombre y su lenguaje (Estudios de teoría y metodología lingüística)*. 270 págs.

273. Rohrer, Ch.: *Lingüística funcional y gramática transformativa (La transformación en francés de oraciones en miembros de oración)*. 324 págs.

274. Francis, A.: *Picaresca, decadencia, historia (Aproximación a una realidad histórico-literaria)*. 230 págs.

275. Picoche, J. L.: *Un romántico español: Enrique Gil y Carrasco (1815-1846)*. 398 págs.

276. Ramírez Molas, P.: *Tiempo y narración (Enfoque de la temporalidad en Borges, Carpentier, Cortázar y García Márquez)*. 218 págs.

277. Pêcheux, M.: *Hacia el análisis automático del discurso*. 374 págs.

278. Alonso, D.: *La «Epístola moral a Fabio», de Andrés Fernández de Andrada (Edición y Estudio)*. 286 págs. 4 láminas.

279. Hjelmslev, L.: *La categoría de los casos (Estudio de gramática general)*. 346 págs.

280. Coseriu, E.: *Gramática, semántica, universales (Estudios de lingüística funcional)*. 270 págs.

281. Martinet, A.: *Estudios de sintaxis funcional*. 342 págs.

282. Granda, G. de: *Estudios lingüísticos hispánicos, afrohispánicos y criollos*. 522 págs.

283. Marcos Marín, F.: *Estudios sobre el pronombre*. 338 págs.

284. Kimball, J. P.: *La teoría formal de la gramática*. 222 págs.

285. Carreño, A.: *El romancero lírico de Lope de Vega*. Premio Ramón Menéndez Pidal, 1976. 302 págs.

286. Marcellesi, J. B. y Gardin, B.: *Introducción a la sociolingüística (La lingüística social)*. 448 págs.

287. Martín Zorraquino, M.ª A.: *Las construcciones pronominales en español (Paradigma y desviaciones)*. 414 págs.

288. Bousoño, C.: *Superrealismo poético y simbolización*. 542 págs.

289. Spillner, B.: *Lingüística y literatura (Investigación del estilo, retórica, lingüística del texto)*. 252 págs.

290. Kutschera, F. von: *Filosofía del lenguaje*. 410 págs.

291. Mounin, G.: *Lingüística y filosofía*. 270 págs.

292. Corneille, J. P.: *La lingüística estructural (Su proyección, sus límites)*. 434 págs.

293. Krömer, W.: *Formas de la narración breve en las literaturas románicas hasta 1700*. 316 págs.

294. Rohlfs, G.: *Estudios sobre el léxico románico*. Reelaboración parcial y notas de M. Alvar. Edición conjunta revisada y aumentada. 444 págs.

295. Matas, J.: *La cuestión del género literario (Casos de las letras hispánicas)*. 256 págs.

296. Haug, U. y Rammer, G.: *Psicología del lenguaje y teoría de la comprensión.* 278 págs.
297. Weisgerber, L.: *Dos enfoques del lenguaje («Lingüística» y ciencia energética del lenguaje).* 284 págs.
298. Wotjak, G.: *Investigaciones sobre la estructura del significado.* 480 páginas.
299. Sesé, B.: *Antonio Machado (1875-1939). El hombre. El poeta. El pensador.* Premio Internacional «Antonio Machado». 2 vols. 970 páginas.
300. Wayne Ashhurst, A.: *La literatura hispanoamericana en la crítica española.* 644 págs.
301. Martín, E. H.: *La teoría fonológica y el modelo de estructura compleja.* Prólogo de Ofelia Kovacci. 188 págs.
302. Hoffmeister, G.: *España y Alemania (Historia y documentación de sus relaciones literarias).* 310 págs.
303. Fontaine, J.: *El círculo lingüístico de Praga.* 182 págs.
304. Stockwell, R. P.: *Fundamentos de teoría sintáctica.* 316 págs.
305. Wandruszka, M.: *Interlingüística (Esbozo para una nueva ciencia del lenguaje).* 154 págs.
306. Agud, A.: *Historia y teoría de los casos.* 492 págs.
307. Aguiar e Silva, V. M. de: *Competencia lingüística y competencia literaria (Sobre la posibilidad de una poética generativa).* 166 págs.
308. Pratt, Ch.: *El anglicismo en el español peninsular contemporáneo.* 276 págs.
309. Calvo Ramos, L.: *Introducción al estudio del lenguaje administrativo.* 290 págs.
310. Cano Aguilar, R., *Estructuras sintácticas transitivas en el español actual.* 416 págs.
311. Bousoño, C.: *Épocas literarias y evolución (Edad Media, Romanticismo, Época Contemporánea).* 756 págs. 2 vols.
312. Weinrich, Harald: *Lenguaje en textos.* 466 págs.
313. Sicard, A.: *El pensamiento poético de Pablo Neruda.* 648 págs.
314. Binon, T.: *Lingüística Histórica.* 424 págs.
315. Hagège, C.: *La gramática generativa.* 255 págs.
316. Engelkamp, J.: *Psicolingüística.* 314 págs.
317. Carreño, A.: *La dialéctica de la identidad en la poesía contemporánea (La persona, la máscara).* 254 págs.
318. Pupo-Walker, E.: *La vocación literaria del pensamiento histórico en América.* 220 págs.

III. MANUALES

1. Alarcos Llorach, E.: *Fonología española.* Cuarta edición aumentada y revisada. Reimpresión. 290 págs.
2. Gili Gaya, S.: *Elementos de fonética general.* Quinta edición corregida y ampliada. Reimpresión. 200 págs.

3. Alarcos Llorach, E.: *Gramática estructural (Según la escuela de Copenhague y con especial atención a la lengua española).* Segunda edición. Reimpresión. 132 págs.

4. López Estrada, F.: *Introducción a la literatura medieval española.* Cuarta edición renovada. 606 págs.

6. Lázaro Carreter, F.: *Diccionario de términos filológicos.* Tercera edición corregida. Reimpresión. 444 págs.

8. Zamora Vicente, A.: *Dialectología española.* Segunda edición muy aumentada. Reimpresión. 588 págs. 22 mapas.

9. Vázquez Cuesta, P. y Mendez da Luz, M.ª A.: *Gramática portuguesa.* 2 vols. Tercera edición corregida y aumentada. 818 págs.

10. Badia Margarit, A. M.: *Gramática catalana.* 2 vols. Reimpresión. 1.020 págs.

11. Porzig, W.: *El mundo maravilloso del lenguaje (Problemas, métodos y resultados de la lingüística moderna).* Segunda edición corregida y aumentada. Reimpresión. 486 págs.

12. Lausberg, H.: *Lingüística románica.* 2 vols.

13. Martinet, A.: *Elementos de lingüística general.* Segunda edición revisada. Reimpresión. 274 págs.

15. Lausberg, H.: *Manual de retórica literaria (Fundamentos de una ciencia de la literatura).* 3 vols.

16. Mounin, G.: *Historia de la lingüística (Desde los orígenes al siglo XX).* Reimpresión. 236 págs.

17. Martinet, A.: *La lingüística sincrónica (Estudios e investigaciones).* Reimpresión. 228 págs.

18. Migliorini, B.: *Historia de la lengua italiana.* 2 vols. 1.262 págs. 36 láminas.

19. Hjelmslev, L.: *El lenguaje.* Segunda edición. Reimpresión. 196 págs. 1 lámina.

20. Malmberg, B.: *Lingüística estructural y comunicación humana (Introducción al mecanismo del lenguaje y a la metodología de la lingüística).* Reimpresión. 328 págs. 9 láminas.

22. Rodríguez Adrados, F.: *Lingüística estructural.* 2 vols. Segunda edición revisada y aumentada. Reimpresión. 1.036 págs.

23. Pichois, C. y Rousseau, A.-M.: *La literatura comparada.* 246 págs.

24. López Estrada, F.: *Métrica española del siglo XX.* Reimpresión. 226 págs.

25. Baehr, R.: *Manual de versificación española.* Reimpresión. 444 págs.

26. Gleason, H. A., Jr.: *Introducción a la lingüística descriptiva.* Reimpresión. 700 págs.

27. Greimas, A. J.: *Semántica estructural (Investigación metodológica).* Reimpresión. 398 págs.

28. Robins, R. H.: *Lingüística general (Estudio introductorio).* Reimpresión. 488 págs.

29. Iordan, I. y Manoliu, M.ª: *Manual de lingüística románica.* Revisión, reelaboración parcial y notas por M. Alvar. 2 vols. Reimpresión. 698 págs.

6. *Todo Ben Quzmān*. Editado, interpretado, medido y explicado por E. García Gómez. 3 vols. 1.512 págs.
7. *Garcilaso de la Vega y sus comentaristas (Obras completas del poeta y textos íntegros de El Brocense, Herrera, Tamayo y Azara)*. Edición de A. Gallego Morell. Segunda edición revisada y adicionada. 700 págs. 10 láminas.
8. *Poética de Aristóteles*. Edición trilingüe. Introducción, traducción castellana, notas, apéndice e índice analítico, por V. García Yebra. 542 págs.
9. Chevalier, M.: *Cuentecillos tradicionales en la España del Siglo de Oro*. 426 págs.
10. Reckert, S.: *Gil Vicente: Espíritu y letra. I: Estudios*. 464 págs.
11. Gorog, R. de y Gorog, L. S. de: *Concordancia del «Arcipreste de Talavera»*. 430 págs.
12. López de Ayala, P.: *«Libro de poemas» o «Rimado de Palacio»*. Edición crítica, introducción y notas de M. García. 2 vols.
13. Berceo, Gonzalo de: *El libro de Alixandre*. Reconstrucción crítica de D. A. Nelson. 794 págs.
14. Alfonso X: *«Lapidario» (Según el manuscrito escurialense h.I.15)*. 334 págs.


## V. DICCIONARIOS

2. Corominas, J.: *Breve diccionario etimológico de la lengua castellana*. Tercera edición muy revisada y mejorada. Reimpresión. 628 págs.
3. *Diccionario de Autoridades*. Edición facsímil. 3 vols.
4. Alfaro, R. J.: *Diccionario de anglicismos*. Recomendado por el «Primer Congreso de Academias de la Lengua Española». Segunda edición aumentada. 520 págs.
5. Moliner, M.ª: *Diccionario de uso del español*. Premio «Lorenzo Nieto López» de la Real Academia Española. 2 vols. Reimpresión. 3.088 págs.
6. Rogers, P. P. y Lapuente, F. A.: *Diccionario de seudónimos literarios españoles, con algunas iniciales*. 610 págs.
7. Corominas, J. y Pascual, J. A.: *Diccionario crítico etimológico castellano e hispánico*. Tomo I: A - CA. LXXVI + 938 págs. Tomo II: CE - F. 986 págs. Tomo III: G - MA. 904 págs. Tomo IV: ME - RE. 908 págs.
8. Alcalá Venceslada, A.: *Vocabulario andaluz*. Edición facsímil. 676 páginas.
9. Abraham, W.: *Diccionario de terminología lingüística actual*. 510 págs.

# VI. ANTOLOGÍA HISPÁNICA

ctural del relato en los cuentos de Borges). 156 págs.
: Recuerdos literarios y reminiscencias personales.